KB009666

새벽달

# 엄마표 영어
# 20년 보고서

새벽달
엄마표 영어
20년 보고서

**1판 1쇄 발행** 2022년 8월 15일
**1판 5쇄 발행** 2024년 2월 26일

**지은이** 남수진
**펴낸이** 이수영

**책임편집** 김하진
**마케팅** 김보미 정경훈

**펴낸 곳** 롱테일북스
**출판등록** 제2015-000191호
**주소** 04033 서울특별시 마포구 양화로 113, 3층(서교동, 롱테일북스)
**전자메일** team@ltinc.net
* 롱테일북스는 롱테일(주)의 출판 브랜드입니다.

**ISBN** 979-11-91343-55-7 03740

# 엄마표 영어
# 20년 보고서

◆ 남수진 지음 ◆

## 이야기를 시작하며…

엄마표 영어라는 개념이 세상에 나온 지 20년이 지났다. 영어 비디오테이프 하나 구하기 위해 몇 달을 기다리고, 괜찮다 싶은 영어 그림책은 대형 사이트에서 '공구'해야만 겨우 구할 수 있던 그 시절에 비하면 요즘은 정말 매우 편해졌다. 스마트폰에서 유튜브, 넷플릭스, 디즈니플러스 앱을 클릭하면 AI가 추천해주는 내 아이 맞춤 영어 영상물이 쏟아져 나오고, 태블릿에 깔아둔 '에픽(epic)' 앱을 켜면 다양한 영어 그림책이 분야별로 나열되어 있다. 심지어 원어민이 소리 내어 읽어준다. 모든 것이 플레이 버튼 하나로 해결되는 시대를 살고 있다. 그럼에도 엄마표 영어를 실천하는 가정은 줄고 있으니 아이러니하다.

환경이 이렇게 바뀌었음에도 엄마표 영어를 힘들어하는 이유는 예나 지금이나 비슷하다. 지금도 "엄마표 영어, 어떤 게 제일 힘든가요?"라고 물어보면 엄마들의 대답은 대략 다음의 네 가지로 분류된다.

### ○ 첫 번째 : 내 탓

"꾸준히 하기가 힘들어요."
"제 의지요."
"워킹맘이라 시간이 없어요."
"제가 영어를 잘 몰라서 자신이 없어요."

엄마가 의지가 없어서, 꾸준히 하지 못해서, 영어 실력이 부족해서 아이에게 영어 환경 만들어주기가 불가능하다는 이 논리는 예나 지금이나 엄마표 영어의 본질을 잘 모르기 때문에 생기는 오해다. 엄마표 영어는 엄마의 의지, 영어 실력, 꾸준함으로 하는 것이 아니라 전적으로 '아이에 대한 이해'로부터 시작되고 유지된다. 특히 요즘은 양질의 어린이 영어 콘텐츠가 넘쳐나는 디지털 시대인 만큼 아이 취향 저격 콘텐츠만 찾는다면 이 고민에 대한 부담은 내려놓아도 될 것 같다.

### ○ 두 번째 : 확신 부족 (의심 가득)

"저도 확신이 안 서요."

"잘하고 있는 건지 모르겠어요."

"영어 만화 보여주고 영어 그림책만 읽어준다고 될까요?"

영어 그림책 읽어주고, 들려주고, 영어 만화만 보여줘도 아이가 영어를 듣고 말하고 쓰고 읽을 수 있다? 이 사실이 믿기지 않는다면 아이의 뇌 발달과 언어 발달에 대한 관련 도서를 여러 권 찾아 읽어보길 권한다. 몰라서 두렵고 확신이 안 서는 것이다. 본문에서 자세히 설명하겠지만 아이의 뇌(귀)는 성인의 뇌(귀)와 다르고, 아이는 영어를 모국어처럼 습득할 수 있다. 관련 도서를 찾아봐도 믿기 어렵다면 지난 25년간 엄마표 영어로 자란 엄마표 영어 키즈들의 경험담을 담은 책이나 교육 인플루언서들의 증언을 귀담아들어 보시길. 그들 모두 인생의 한 바퀴, 0~20세 대학입시까지 겪어본 인생 선배이자 언어습득 '관찰'전문가다.

10세 이전의 아이들은 영어 인풋이 차고 넘쳐 영어 듣기, 읽기의 뿌리가 깊어지면 쓰기, 말하기 같은 아웃풋은 약간의 스킬과 루틴으로 쉽게 따라잡을 수 있다. 게다가 이 책이 여러분에게 그런 확신을 주기 위해 쓴 책이니, 웰컴 투 엄마표 영어 세상이다.

### ○ 세 번째 : 아이 탓

"아이가 집중을 못 해요."

"아이가 영어를 거부해요."

"아이 아웃풋이 안 나와서 기운 빠져요."

이 또한 10세 이전 아이의 인지 발달과 언어 발달 과정을 이해하면 걱정을 덜 수 있다. 무엇보다 아이가 영어를 거부하는 원인은 다양하므로 다각도에서 살펴보아야 한다. 우선 아이들은 그게 뭐든 재미가 없거나 이해가 안 되면 집중하지 않는다. 영어라고 다를 리 없다. 혹시 아이의 수준보다 너무 어려운 영어책이나 영상물을 읽어주거나 보여준 것은 아닌지, 거부 반응을 무시한 채 강요했던 것은 아닌지 생각해봐야 한다. 게다가 유치원 생활을 시작한 아이의 경우에는 주 언어가 한국어일 것이므로 영어를 더 기피할 수도 있다. 어쨌든 중요한 사실은 아이가 영어를 거부할 때 이 문제는 아이 탓이 아니라는 점이다.

위의 세 가지 문제는 엄마표 영어를 하는 모든 가정에서 한 번쯤은 겪는 과정일 것이다. 나만의, 우리 아이만의 문제가 아니라는 이야기다. 아이의 발달 과정에 대해서, 내 아이에 대해서 조금 더 깊이 관심을 가지고 들여다보면 충분히 풀어갈 수 있는 부분이다. 이에 관해서는 이 책의 1, 2부에 걸쳐 상세히 이야기를 풀어놓았다.

마지막으로 주의를 기울여봐야 하는 것이 바로 다음인데, 바로 엄마와 아이의 '관계'다.

### ○ 네 번째 : 관계

"아이와 관계를 따뜻하게 유지하는 게 어려워요."

"버럭하게 되고 놀아주기가 힘들어요."

"첫째에게만 집중하게 돼서 둘째에게 미안해요."

"첫째와 둘째를 자꾸 비교하게 돼요."

이것이 바로 우리가 고민해야 할 지점이다. 엄마는 엄마표 영어 환경을 만들면서 다양한 감정의 굴곡을 경험하게 되는데, 그 중 우리가 집중해볼 감정은 바로 '미움'이다. 아이가 미워진다면 영어고 뭐고 다 멈춰야 한다. 영어 그까짓 게 뭐라고 아이가 영어 못 한다고, 안 따라온다고 애를 미워할 지경을 만드나.

이 책에서도 여러 번 이야기했지만 우리 집 둘째는 뭐든 거부가 심했던 아이였다. 그렇지만 밉지 않았다. 내가 제안하는 것들을 모두 거절했다고 해도 말이다. 왜냐하면 그것이 힘든 일이라는 걸 알고 있었기 때문이다. 나 역시 그 나이 때에, 일곱 살 무렵에 100쪽짜리 원서를 수월히 읽을 수 있는 인간은 아니었다. 아이는 초등학교 3학년 때 피아노 콩쿠르를 준비하며 쇼팽의 <즉흥 환상곡>을 연주해야 했는데 잘하지 못하니 연습 기간에 온갖 거부와 찌부림을 했던 적이 있다. 그러니 영어에 대한 거부 반응과 찌부림도 이해되었다. 나는 오히려 그런 아이의 모습에서 밥하기 싫어서, 옷장 정리하기 싫어서 몸을 꼬는 내 모습이 겹쳐 보였다. 그래서 아이들이 밉기보다, 원망스럽기보다 귀여웠다. 그리고 어쨌든 힘들고 하기 싫어도 끝내 챕터북을 읽고, 긴장과 두려움을 뚫고 무대 위에 올라가 연주하고 내려온 아이들이 대견하고 고마웠다.

나는 이 과정에서 아이들은 어떻게든 '자란다'라는 믿음을 가졌다. 아이도 나도 좌충우돌, 갈팡질팡하며 가는 것 같지만 서로 꽤 빛나는 순간, 애쓰는 순간들을 함께하고 있었다. 그런 생각을 하다 보면 투정 부리는 아이도, 힘들어 헛웃음을 터뜨리는 나도 꼭 안아주고 싶지 밉거나 한심하다고 느껴진 적이 없다.

무엇보다 엄마표 영어를 엄마의 '희생'으로 생각하는 것은 위험하다. 한 번은 어떤 엄마의 고민 글을 SNS DM으로 받았다. '전망 좋은' 직장을 그만두고 아이 육아와 교육에 9년을 올인했다는 한 엄마의 고민이었다. 초등학교 2학년 아들의 학교 공개수업을 갔는데, 수업 내내 손 한 번 못 들고 발표도 기어들어가는 목소리로 하는 둥 마는 둥 하고 자리에 앉은 아들을 보면서 '배신감'이 들 정도로 화가 나고 미웠다고 했다. 솔직한 고백이었지만 나는 오히려 그 아이가 안쓰러워 마음이 좋지 않았다. 무엇보다 '배신감'이라는 단어가 마음에 걸렸다. 그건 엄마 자신이 아이를 위해 '희생'을 했다고 여기고 있으며 그 보상으로 아이가 성적도 좋아야 하고 발표도 잘해야 한다는 의미였다. 그러나 그게 맞을까? 아이는 아직 초등학교 2학년, 언제 어떻게 성장해서 어떤 꽃을 피울지 모르는 '어린아이'일 뿐이다.

나도 비슷한 경험이 있다. 둘째가 초등학교 3학년이던 때의 공개수업이었다. 초등학교 내내 반장, 회장 등 임원을 했던 큰애와 달리 '교실에서 내 존재를 알리지 말라'는 마인드로 늘 교실 구석에 숨어 있던 우리 2호. 아니나 다를까, 그날 공개수업 때도 수업 시간 내내 어색한 미소와 불량한 자세로, 세상 모든 게 따분하다는 표정으로 몸을 배배 꼬고 있었다. 그 모습을 보면서 '수업이 지루해서 어쩌나. 학교에서 병든 닭처럼 저렇게 흐느적거릴 바에 홈스쿨링을 해야 하나?'까지 생각이 번질 때쯤 수업 종료를 알리는 종이 울렸다. 벨이 울리기가 무섭게 2호는 스프링처럼 일어나 친구들과 떠들고 장난치면서 놀기 시작했다. 동시에 나는 좀 전의 생각을 접었다. '홈스쿨링은 뭔 홈스쿨링.'

예민하고 섬세한 둘째는 두뇌 회전이 빨랐고, 다섯 살 많은 형과 같은 수준의 책을 읽고 대화하며 자라 조숙한 편이었다. 그전에도 학교 수업이나 생활이 다소 지루할 수도 있겠다고 생각했다. 앞에 나서서 발표하는 아이들이 주로 인정받는 공교육 기관에서 아이가 자신의 참가치를 찾기는 어려울 수 있겠다고도 생각했다. 그래서 학교에서 잘 적응하지 못하는 아이가 한심하다고 느껴지지 않았다. 그래서 오히려 '너를 이해해. 사는 게 쉽지 않지? 하지만 견디고 애써줘서 고마워.'라는 시선으로 아이를 바라보았다. 2호가 초등학교 3학년일 때도, 고등학교 2학년이 된 지금도 마찬가지다.

물론 모든 엄마가 나 같을 수는 없다. 그저 내가 하고 싶은 말은, 아이가 줄 수 있는 보상은 엄마가 바라는 것과 같을 수 없다는 것이다. 아이를 키우는 데 있어 뭔가를 기대하지 않는 편이 좋다. 오히려 아이가 부모가 인풋한 대로 아웃풋을 보이는 로봇이 아니라는 사실에 감사해야 할지도 모른다. 우리를 뛰어넘을 아이들이기 때문이다. 아날로그 시대에 태어나, WEB2.0 세대를 거쳐 이제 막 스마트폰과 SNS의 속도에 적응한 우리가 디지털 시대에 태어나 WEB3.0 시대를 살아가는 아이들에게 '시대를 뛰어넘는 통찰과 안내'를 해줄 수는 없다. 아이들은 우리의 기대를 뛰어넘는 삶을 살아갈 것이다.

그러니 아이가 나의 바람과 다른 모습이라고 해도 책망하기보다 '측은지심', "너도 힘들지? 네 맘 알아." 이런 마음으로 아이를 바라봐주고 대해주는 게 어떨까? 그럴 수 있다면 아이는 자라는 동안 크고 작은 방황을 겪어도 끝내는 안다. 부모가, 가정이 자신의 든든한 울타리이자 버팀목이라는 것을.

『엄마표 영어 17년 보고서』 개정판을 쓰면서 17년이란 숫자가 20으로 바뀌었다. 기존의 책 내용을 현재 시점에 맞춰 개고했다. 엄마표 영어의 본질을 좀 더 잘 전달하기 위해 구성을 변경했고 내용을 수정하고 보완했다. 그러나 변치 않은 것은 이 책이 엄마표 영어를 소재로 한 '사랑' 이야기라는 사실이다. 나는 그렇게 생각한다. 그래서 이 책에는 아이와 영어를 매개로 다양한 스토리와 인생 이야기를 나누면서 아이의 성장을 관찰하고 기록해온 내 경험을 담았고, 언어전공자로서의 이론적 설명도 담았다. 하지만 더 근본적으로 전하고 싶은 메시지는 따로 있다. 다양한 매체와 플랫폼을 통해 수많은 엄마와 소통해보니 엄마들에게 진정 필요한 것은 '영어 그림책 정보'도 아니요, '영어 영상물 정보'도 아닌 것 같았다. 너무 많은 정보에 치여 아무것도 할 수 없는 '텅 빈 마음'을 채울 수 있는 무엇이 필요해 보였다.

내가 경험한 바로 그 빈 마음을 채울 수 있는 것은 오직 하나, 소통이다. 아이와 엄마가, 엄마가 엄마 자신과 연결됨을 느끼는 것, 소통하고 화합하는 것. 즉, 아이에게 영어 환경을 만들어주기 전에 아이 마음을 헤아리는 것. 아이 마음을 헤아리기 전에 엄마인 내 마음이 왜 이런지 헤아리는 것. 그것보다 더 중요한 것은 없다. 그게 해결되지 않으면 그 어떤 좋은 언어습득 환경도 꾸준히 하기가 불가능하다. 그래서 이 책에는 내가 아이와 어떻게 소통하고 관계 맺었는지, 내가 나 자신을 어떻게 들여다보고 화해하고 독려하며 성장해왔는지도 함께 담았다.

많은 엄마들이 이 책을 통해 내가 겪은 기쁨과 열매를 다 맛보았으면 한다. 영어를 모국어처럼 구사하는 아이로 키우겠다는 욕심이, 지난 20년간 어떻게 깊은 사랑으로 진화할 수 있었는지. 한 명이라도 더 경험하게 된다면 더는 바랄 것이 없겠다.

2022년 여름,

새벽달 남수진

차례

### 5~7세 영어 동요로 말에 대한 갈증을 해소하다



### 빠지기 쉬운 파닉스의 함정



### 만 3세 이후, 영어 영상물이 일으킨 놀라운 변화



### 영어 그림책과 문맹 탈출



### 엄마가 영어 그림책 읽어줄게



### 영어 그림책의 종류와 활용법

## 3부. 초등학교 고학년의 엄마표 영어



## 4부. 엄마표 영어의 어부지리, 엄마의 영어 성장

**일러두기**

- ▶ 본문에 언급되는 나이 중 '만' 표기가 없는 나이는 모두 한국 나이를 의미한다. 예를 들어 5~7세는 만 5~7세가 아니라 한국 나이 5~7세이다.
- ▶ 본문에 언급된 도서는 『 』로 표시했으며, 영화 및 방송 프로그램은 《 》로, 시리즈는 [ ]로 표기했다. 엄마표 영어와 관련한 도서와 영상물, 시리즈의 경우 원제로 넣거나 번역된 제목과 원제를 함께 표기했다.

# 1부.

# 엄마표 영어의 시작 :

## “우리 애는 영어 때문에 고생하지 않았으면 좋겠다”

# 엄마표 영어란 무엇인가

## 엄마표 영어의 본질

### ○ '엄마표 영어'의 탄생

내가 엄마표 영어라는 말을 처음 만든 건 우연이었다. 2000년에 '쑥쑥닷컴'이라는 사이트가 있었는데, 비슷한 육아 철학을 가진 엄마들이 이곳에 모여 영어, 교육, 육아 등에 대해 이야기를 나누곤 했다. '쑥쑥닷컴'은 그 당시 영어 좀 한다는 엄마들, 교육에 대한 관심이 좀 깊다는 사람들이 대거 모여 글로 치열하게 소통하는 공간이었고, 나는 그 소통 과정이 즐거웠다. 모국어가 아직 완성되지 않은 어린아이들을 '영어 소리에 노출'시키면 아이들이 자연스럽고 즐겁게 영어를 습득할 수 있다고 믿는 사람들과 파격적인 실험을 해보는 일이 재미있었다.

학원에서 선생님에게 공부로 배우는 영어가 아니라 엄마가 집에서 영어 소리를 들려주면서 자연스럽게 영어를 모국어처럼 습득하게 하는 방법이라니! 아이의 뇌는 그것이 가능하다니! 그것을 믿고 실천하는 영어 육아의 장이 집이 될 수 있다니! 그런데 이 같은 이야기를 사이트 게시판에 쓸 때마다 너무 길고 번거로워서 아예 용어를 만들어버렸다. 그게 바로 '엄마표 영어'였다. 그 당시에는 '학원표 영어'와 대치되는 의미로 만든 말이었는데 세월이 흐르고 아이가 자라면서 알게 되었다. 설령 아이를 영어 유치원이나 학원에 보낸다고 하더라도 듣고 읽는 영어의 양을 재미있게, 꾸준히 쌓는 엄마표 영어는 계속 병행되어야 한다는 걸. 아무튼 그 당시에 그렇게 만든 이 용어가 20년이 지난 지금도 고유명사처럼 쓰일 줄 알았더라면 그때 특허 출원이라도 낼 걸 그랬다.

간략히 정리해보면 **엄마표 영어란 ① 영어 그림책과 영어 영상물을 재료 삼아 ② 0~12세 어린이에게 ③ 영어 소리를 꾸준히 의미 있게 들려줌으로써 ④ 아이가 영어를 모국어처럼 자연스럽게 습득하도록 도와주는 것**이다. 물론 이 엄마표 영어는 집집마다, 아이마다 다른 형태로 뻗어가고 발전한다. 하지만 핵심은 같다. 영어 원서와 영어 영상물이라는 재료를 꾸준히 활용할 수 있는 영어 노출 시스템, 루틴을 만드는 것이 바로 엄마표 영어다. 다시 말해서 엄마표 영어는 엄마가 영어 선생님이 되어 아이를 책상 앞에 앉혀 놓고 영어를 '가르치는 것'이 아니라, 아이가 영어 만화를 보고 영어 동요를 부르고 영어 그림책을 읽으면서 놀다가 '저절로 영어를 습득하게 되는 환경을 만들어주는 것'이다. 아이가 좋아할 만한, 들어서 이해할 만한 영어 소리 재료를 준비해서 꾸준히 들려주고, 아이가 영어 소리를 들으며 놀 때 옆에서 추임새를 넣어준다면 그것으로 충분하다.

### ○ 영어를 모국어처럼 습득하게 한다는 것

그렇다면 영어를 모국어처럼 습득하도록 돕는다는 말은 무슨 뜻일까? 이것은 크게 영어를 인풋하는 '방법(how)'과 아웃풋을 바라보는 '태도(attitude)'로 나누어 말할 수 있다. 먼저 아이에게 영어를 인풋하는 방법은 아이가 모국어를 습득하는 과정, '듣기-말하기-읽기-쓰기'를 영어 역시 그대로 재현하는 것이다. 그럼 잠시 하나씩 살펴보자.

첫 번째 **'듣기'**. 생활 밀착형 듣기 혹은 영어 그림책이나 영상물을 통해 '재미있게' 듣기를 수년간 반복한다. 아이에게 영어 아웃풋을 강요하거나 아이가 영어를 제대로 이해하는지 확인하지 않고 그저 영어를 꾸준히 재미있게 들을 수 있게 해주는 것. 그것이 엄마표 영어의 시작이자 뿌리다. 그렇게 꾸준한 다량의 영어 듣기를 통해 아이의 '영어 귀'를 뚫어주는 것이 급선무다.

두 번째 **'말하기'**. 아이의 모국어 발화 과정을 보면 이해하기 쉽다. 아이가 한 단어로 말하는 시기가 있다. 그것도 몇몇 자음은 제대로 발음하지 못해 어린아이 특유의 발음으로 어눌하게 말하는 과정을 거친다. 예를 들어 우리 집 2호는 그 시기에 '조심해'를 '도띰해'로, '괜찮아?'를 '괜따아?'로, '엉덩이 씻어'를 '언더이 씻어'로, '사랑해'를 '사까해'라고 발음하곤 했다. 아이는 자기가 아는 단어의 10분의 1도 제대로 아웃풋을 못 하는데 그 와중에 발음까지 말썽인 것이다. 또한 모국어로 말하는 것도 아이마다 편차가 커서 어떤 아이는 두 돌이 되기 전에 문장을 구사하고 어떤 아이는 세 돌이 다 돼서도 두세 단어를 연결하는 것으로 겨우 의사소통하기도 한다.

하지만 대부분의 엄마는 아이의 한국어 발음이 틀렸다고 그 자리에서 곧장 "그 발음 아니야. 다시 한번 정확하게 말해보자." 하는 식으로 아이의 발음을 지적하고 수정하거나 말이 더디다고 아이를 다그치지 않는다. 시간이 지나면 아이가 자연스럽게 '사까해'를 '사랑해'로 정확히 발음할 것을 알고 있으며 믿기 때문이다. 그런데 왜 외국어인 영어에 있어서는 모국어보다 높은 잣대를 들이대고 발음이나 표현이 틀릴 때마다 아이를 몰아세우는 걸까? 대부분 간과하고 있지만 '모국어처럼'이라는 말 속에는 모국어 습득 과정에서 아이가 보이는 불안정성과 부정확성을 느긋하고 여유 있게, 심지어 "귀여워!"라고 말해주는 엄마의 마음까지 포함되어 있다.

대부분의 5~7세 아이들은 유치원과 같은 기관 생활을 하면서 많은 양의 언어 인풋을 경험한다. 또한 이 시기에는 아이들이 그림책이나 영상물을 과할 정도로 몰입해서 읽고 시청하기 때문에 아이 머릿속에 주입되는 언어의 양은 더 어마어마하다. 이를 통해 아이마다 자기 안에 축적된 언어가 차고 넘쳤을 때, 각자의 때에 말문이 터지고, 우리는 그 사실을 알고 있기 때문에 조급해하지 않을 수 있다.

영어도 마찬가지다. 아이가 영어를 한 단어로 말하고 아무 말 대잔치를 하고, 그러다가 두세 단어를 묶어 문장을 만들기까지 시간이 걸린다. 그 과정을 너그럽게 기다려줄 수 있어야 한다. 게다가 영어는 외국어고 모국어인 한국어보다 훨씬 적은 양의 인풋만 있었기 때문에 더 너그럽게, 더 오랜 시간 기다려줘야 한다.

영어 말하기의 관건은 인풋의 양과 질이다. 아이가 좋아하는 영어 '그림책'과 '영상물'을 매개로 아이에게 언어적 자극을 충분히 주는 것이 성패를 가른다. 아이에게 영어 소리를 노출하는 일종의 루틴을 만들어줬고, 만 3년 이상 그 습관을 지켜왔다면 초초해할 것 없다. 게다가 대부분 아이에게는 영어를 다 알아듣고 말할 수 있는 데도 입을 다무는 '침묵의 기간(silent period)'이 있다. 이 사실을 안다면 최대 6년까지는 아웃풋 타령하지 말고 인풋을 도와야 한다. 그래야 아이는 자신만의 때에 영어 말문을 열 것이다. (때로는 끝내 영어 발화를 하지 않는 아이도 있는데 이런 경우에는 쓰기를 유도하는 것이 좋다. 엄마가 대필해주는 것을 포함해 '안전한 글쓰기' 요령은 많다. 뒤에서 본격적으로 다루는 쓰기에 관한 내용을 참고하면 좋겠다.) 영어 소리 인풋 양을 채워주는 건 엄마 몫이지만 영어 아웃풋인 말하기는 전적으로 아이 몫이다. 강요할 수 없다.

세 번째 **'읽기'**. 아이가 모국어인 한글을 읽는 과정을 보자. 대부분의 아이들은 태어난 이후 수년간 다량의 한국어 소리를 들어왔음에도 만 5~6년 정도의 시간이 흐른 뒤에야 겨우겨우 더듬더듬 한글을 읽는다. 하물며 낯선 외국어인 영어는 말할 것도 없다. 아무리 엄마가 신경 써서 아이를 영어 소리에 노출시켰다고 하더라도, 아이가 들었을 때 '의미'를 알 수 있고 '재미'있는 영어 소리의 양은 한국어의 20분의 1도 안 될 것이다.

그럼 아이는 도대체 얼마나 오래 영어 소리와 영어 문자에 노출되어야 자연스럽게 영어 '읽기'가 가능할까? 적어도 만 5년은 영어를 읽어주고 들려줘야 하지 않을까? 하지만 우리는 아이에게 영어 소리를 들려주면서 곧바로 "방금 들었지? 따라 읽어봐. 방금 들은 건데 못 읽어?" 하며 아이를 다그치지 않나? 사실 이건 그저 "너 바보야? 이걸 왜 못 읽어?"라는 비난의 말과 같다. 엄마의 실망스러운 낯빛에 아이의 마음은 무너진다. 영어책만 펼치면 반복되는 엄마의 질책과 다그침으로 배움에 대한 흥미나 즐거움은 사라지고 아이는 영어에 질려버리고 만다. 정작 여러분이 모국어도 아닌 영어 때문에 이런 모욕적인 경험을 매일 해야 한다고 상상해보시라. 얼마나 끔찍하게 영어가 싫어질까? 더욱이 아이에게 이런 경험은 단 한 번이라도 만들어주지 않는 것이 좋고, 혹시 실수로라도 그랬다면 정중하게 사과해야 한다. 반드시 경계해야 할 엄마의 조급증이다. 외국어 읽기는 그렇게 단시간 내에 이루어지지 않는다.

참고로 읽기의 핵심은 파닉스(단어가 가진 소리, 발음을 배우는 교수법) 원칙을 적용해 소리 내어 읽는 '디코딩(decoding)'에 있지 않다. 한국어의 모음과 자음을 이제 막 배워서 간판을 더듬더듬 읽는 외국인을 보고 읽기가 된다고 말할 수 없는 것과 같은 이치다. 진정한 읽기란, 문장, 문단, 문맥 속에 담긴 글쓴이의 메시지를 읽고 이해하는 능력을 말하기 때문이다. 이런 능력은 하루아침에 길러지는 것이 아니라 상당량의 '문장과 문맥'을 '읽어야' 길러진다. 따라서 아이들이 영어 읽기가 안 된다고 파닉스 학원에 보낼 것이 아니라 엄마가 아이들 잠자리에서 '글 밥'이 좀 되는 책을 읽어줘서 아이가 '이야기 속으로' '맥락 속으로' 몰입하는 경험을 쌓도록 해줘야 한다.

어린아이에게 가장 강도 높은 지적 활동이 바로 읽기인데, 이 읽기가 되려면 많이 읽는 것 외에는 정답이 없다. 어린아이는 반문맹 상태이기 때문에 다소 수고스럽더라도 엄마가 직접 읽어줌으로써 아이가 그 큰 산을 조금 수월하게 넘어갈 수 있도록 도와줘야 한다. 내 경우에는 일찍부터 아이들 잠자리에서 한글로 쓰인 장편소설을 읽어줬고, 초등 고학년까지 이 같은 책 읽어주기를 지속했다. 영어 원서는 챕터북을 주 도서로 선택해 오디오북과 음원의 힘을 빌려 청독하도록 분위기를 유도했다. 아이가 오디오북 음원을 들으면서 챕터북을 한 장 한 장 넘길 때 책 내용을 잘 이해하지 못하더라도 그 책에 정을 붙일 때까지는 나란히 앉아 함께 있어줬다. 아이들이 어느 정도 원서를 읽게 됐을 때도 "너 이제 영어 원서 읽을 줄 아니까 혼자 읽어." 하지 않았다. 이 같은 방식이 수고롭게 느껴질 수 있겠지만 분명히 아이가 독립적인 읽기를 하는 데는 도움이 된다.

마지막으로 **'쓰기'**. 이 또한 우리 아이의 한글 쓰기를 되돌아보자. 아이들은 초등학교 3학년이 될 때까지도 쓰기를 힘들어한다. 물리적으로 힘들고 귀찮아서 거부하기도 하고 특별히 쓸 말이 없어서 힘들어하기도 한다. 이때 전자는 엄마가 '대필'해주는 것으로 해결할 수 있고, 후자는 엄마와 '대화'를 나누면서 충분히 강화할 수 있다. 이 간단한 비결만 알고 실천한다면 엄마의 고민과 아이의 고통은 어느 정도 줄일 수 있다.

대부분의 엄마는 아이가 처음 삐뚤빼뚤 힘겹게 쓴 '엄마, 사랑해!'라는 쪽지를 기억할 것이다. 때때로 놀이 삼아 아이와 이런 쪽지를 교환하기도 하는데, 그 과정에서 아이가 맞춤법을 틀렸다고, 문장부호를 잘못 썼다고 지적하고 면박하는 엄마는 없지 않을까? 귀엽다, 애썼다, 우리 ○○는 어쩜 이렇게 한글을 잘 써? 잘한다, 대단해! 하게 마련이다. 그 여유의 바탕에는 말하기와 마찬가지로 이 땅에서 나고 자란 이상 아무리 발달이 느린 아이라도 초등학교 2, 3학년이 되면 한글을 술술 쓸 거라는 믿음이 있다. 즉 영어도 언어이기 때문에 엄마가 습관을 잘 잡아주고 동기부여만 잘 해준다면 느린 아이라도 자기만의 때에 영어 쓰기 능력은 강화될 수 있다.

여기에서 관건은 쓰기라는 아웃풋이 아니라 영어를 술술 쓸 수 있을 만큼 차고 넘치게 들은 영어 원서 오디오북, 영어 영상물이라는 인풋이다. 인풋이야말로 엄마의 노력 여하에 달렸다. 아이를 잘 관찰해서 아이의 취향을 파악하는 센스, 그리고 그에 맞는 책과 영상물을 제공하는 부지런함이 필요하다.

결국 '영어를 모국어처럼 습득하게 한다'라는 말 속에는 모국어처럼 '듣기'의 양이 차고 넘치는 영어 듣기 환경을 만들어 영어를 '듣는 귀'가 뚫리도록 만드는 것이 첫 번째라는 방법론적인 의미만 담겨 있는 게 아니다. 아이가 서툴지만 조금씩 아웃풋을 보일 때 "귀엽다, 이쁘다, 애쓴다" 해주는 엄마의 여유 있는 '태도'까지 포함한다. 아이가 한글도 엉뚱하게 발음하던 시절, 아무말 대잔치 속 알 수 없는 외계어로 떠들던 때, 맞춤법도 다 틀리고 없는 손힘으로 삐뚤빼뚤 쓴 편지를 보면서 '아, 귀여워. 이 시절이 지나고 나면 얼마나 그리울까? 영어에 있어서도 이 발음, 이 표정, 이 글씨 모두 너무 소중해.' 했던 마음으로 아이의 '서툶'을 지켜보고 기다려주는 것. 여기까지가 바로 '영어를 모국어처럼 습득하도록 하는 것'이다. 그래서 다시 한번 당부한다.

> "아이가 한창 한글을 익힐 때 혼내지 않았듯이 영어도 익숙해지기까지 혼내지 마세요. 모국어를 체득할 때보다 더 오랜 시간이 필요합니다. 그만큼 아이가 영어를 습득하는 데는 더 관대해져야 해요. 더 많이 기다려야 해요."

## 엄마표 영어에 대한 오해

### ○ 어린아이에게 영어를 가르칠 수 있나요?

엄마표 영어란 말이 세상에 나온 지 20년이 지난 오늘날에도 어린아이에게 영어를 가르치는 것이 엄마표 영어라고 오해하는 사람이 많다. 하지만 앞서 말했듯이 엄마표 영어는 그런 게 아니다. 두세 살 아이가 한글을 익힐 때 엄마가 아이에게 한글 읽고 쓰기를 강제하지 않는 것과 마찬가지다. 무엇보다 그런 방식을 기꺼이 받아줄 아이도 없다. 어떤 아이가 책상 앞에 앉아 엄마가 해주는 영어 수업을 얌전히 듣고 있겠는가 말이다.

우리가 보통 어린아이에게 모국어 자극을 줄 때 가장 쉽게 선택하는 재료는 '그림책'인데, 이때 아이의 언어적, 사회적, 정서적, 신체적 발달 특징을 고려해서 그림책을 고른다. 아이가 겨우 『달님 안녕』『사과가 쿵』 정도의 단순한 그림과 두세 단어로 이루어진 한 줄짜리 그림책을 집중해서 본다는 걸 알면 『팥죽 할멈과 호랑이』처럼 글 밥이 많고 스토리 전개에 도약이 많은 그림책을 읽어주지는 않는다. 영어도 마찬가지다. 그림책을 통해 영어 자극을 줄 수 있고, 이때에도 아이가 얼마나 집중하는지, 어떻게 반응하는지를 살피면서 이 정도는 아이가 이해할 수 있겠다 싶은 그림책으로 시작하면 된다. 에릭 칼의 『Brown Bear Brown Bear What Do You See』처럼 처음부터 끝까지 같은 구조의 문장이 반복되고 그림만으로도 내용을 이해할 수 있는 그림책은 영어 소리를 한 번도 들어보지 못한 아이도 책을 읽는 순간 그 내용을 이해한다. 이런 책들을 무한 반복해 읽어주면 아이는 자연스럽게 영어 그림책의 세계에 입문하게 된다.

좀 더 정확히 말하자면 그림책보다 '영어 소리 노출'이 선행되어야 한다. 기억을 되짚어보자. 엄마는 6개월 된 아이에게 모국어 자극을 주기 위해서 그림책 이전에 얼마나 많은 동요를 메들리로 불러줬던가? 모국어든 영어든 아이가 못 알아듣기는 매한가지다. 아이에게 영어로 길게 말하기가 망설여진다면 동요가 최고다. 아니면 "코코코코코 눈! 코코코코코코 입!" 같은 간단한 챈트를 활용해본다. 예를 들어 이 챈트는 곧바로 영어로 바꿔 말해볼 수 있는데, 아이를 씻긴 뒤에 이 챈트를 영어로 불러주면서 아이 몸을 마사지해줘보자. 해당 신체 부위를 꾹꾹 눌러 아이가 그 단어를 온몸으로 체득하게 하는 것이다. 샤워는 날마다 하는 것이니 매일 반복해서 그 언어 자극을 받게 되므로 잊을 수 없다. 수유하며 아이를 재울 때 간단한 영어로 이루어진 자장가를 잔잔하게 불러주는 것도 방법이다.

아이가 두 돌 정도 지나면 다양한 디지털 플랫폼을 활용해서 아이에게 영어 영상을 노출시킬 수 있는데, 영상물은 영어 소리 노출량 확보를 위해 필수불가결한 재료다. 요즘은 워낙 다양한 영어 영상 콘텐츠를 손쉽게 얻을 수 있어 아이들에게 영어 환경을 만들어주기에는 최적의 시대다. 유튜브나 OTT 서비스, IPTV, 기타 교육용 디지털 앱 등에 아이들이 좋아할 만한 영어 유치원 프로그램이나 노래와 챈트로 익히는 영어 영상물이 많으니 이 같은 플랫폼을 적극 활용해보기를 추천한다.

0~만 3세 아이들은 같은 노래를 수백 번 듣고 따라하는 경향이 있기 때문에 옆에서 같이 노래를 듣던 엄마도 가사를 외우게 된다. 그렇게 익힌 영어 동요를 아이와 함께 부르면서 땀나게 춤추고 노는 것, 그 장면이 바로 엄마표 영어의 본질에 가장 가까운 모습일 것이다. 그러니 엄마표 영어를 '엄마가(선생님이) 영어 교재 펼쳐놓고 영어 가르치기'라고 오해하기 없기!

### ○ 골든타임의 재정의 : 우리 아이는 이미 늦은 건가요?

처음 『엄마표 영어 17년 보고서』가 출간된 후 자주 받았던 질문 중 하나가 "저희 아이는 만 3세가 넘어 이미 골든타임이 지났는데 이렇게 늦은(?) 경우에는 어떻게 해야 하나요?"였다. 세상에나. 아직 모국어도 어눌한 만 3세 아이의 영어가 늦다니요. 도대체 오해의 시작이 어디에서부터 인지는 모르겠는데, 아마도 내가 엄마표 영어를 결심했던 때가 아이를 임신하고 있을 때였고, 아이가 태어나자마자 영어 소리에 노출해줬다는 이야기를 접하고 성급히 내린 결론이 아닌가 싶다.

소아청소년정신과 전문의 김붕년 교수는 『나보다 똑똑하게 키우고 싶어요』에서 "0~3세는 아이의 두뇌가 폭발적으로 자라는 시기이고, 이 시기에 두뇌를 발달시키는 최고의 자극은 의외로 '피부 접촉' 즉 '스킨십'"이라고 말한 바 있다. 또 생존과 직결되는 능력인 '청각'은 이미 엄마 뱃속에서부터 거의 완성됐을 정도로 발달되어 있기 때문에 이 시기에 아이 귀에 닿는 모든 소리 자극이 아이의 뇌 발달에 직접적인 영향을 준다고 해도 과언이 아니다. 이런 이유로 클래식, 가요, 동요, 동시를 듣고 리듬에 맞춰 온몸으로 춤추며 노는 것이 중요하다고 이야기하는 것이다. 이 이상 아이 뇌를 즐겁게 하는 자극은 없다.

실제로 내가 우리 아이들이 세 돌 되기 전에 영어 환경을 만들어주는 데 사용한 재료 중 8할은 영어 노래 혹은 노래로 부를 수 있는 영어 그림책, 반복되는 영어 문장으로 이루어진 아주 쉬운 한 줄짜리 그림책이 전부였다. 두 돌 전후에 보여준 영어 영상물도 대부분 잔잔한 음악을 배경으로 한 영상이나 처음부터 끝까지 노래로 구성된 뮤지컬 같은 영상이었다. 본격적인 '언어 자극', 그러니까 본격적인 영어 그림책 읽기를 통한 대화는 만 3세가 지난 뒤부터 했다. 아이가 반복되는 언어유희에서 벗어나 '스토리'에 집중할 수 있는 나이가 되면 한글이든 영어든 독서량이 증폭된다. "또 읽어줘, 또 읽어줘!"라고 외치고, 자기만의 취향이 형성되어 좋아하는 작가, 좋아하는 장르, 좋아하는 캐릭터가 분명해지는 때가 바로 5~7세 유치원생 시기인데, 이때야말로 언어 습득과 발달의 '골든타임 중 골든타임'이다. (내가 생각하는 영어 습득의 골든타임은 5~10세다.)

## 엄마표 영어는 가르치는 게 아닙니다

### ○ 0~만 3세에는 영어를 놀면서 배운다

태어나서 클래식 음악을 한 번도 들어본 적 없는 13세 아이는 클래식을 세상에서 제일 지루하고 이질적인 음악으로 느낄 수 있지만, 어려서부터 클래식을 듣고 자란 아이는 그 음악이 주는 위로뿐만 아니라 어린 시절 자기 방을 채웠던 선율과 그 음악을 들었던 순간순간, 장면장면을 추억처럼 기억한다. 그리고 평생 클래식 음악을 즐길 '인자(gene)'를 몸에 장착하게 된다. 엄마표 영어도 영어 소리를 그렇게 만드는 것이 시작이다.

0~만 3세 영유아, 5~7세 시기의 아이들은 '놀면서' '배움'을 경험한다. 생각해보면 태어난 지 6개월 된 아이, 이제 막 돌을 지나 걸음마를 시작한 아이로 하여금 처음 한글을 알아듣고 말하게끔 할 때 우리가 하는 건 특별한 게 아니다. 일상에서 아이와 소통하기 위해 말을 걸 뿐이다. 아이 입장에서는 한글도 낯선 언어다. 그래서 엄마는 가능한 한 아이의 이해를 돕기 위해 단어로 말을 건다. 정확하고 또박또박한 발음으로, 천천히 "물?" "물 달라고?" "물 마시고 싶어?"라는 식으로 핵심 단어를 반복해가면서 소리를 들려준다. 실제로 물컵에 물을 담아 물이 출렁거리는 것도 보여주고, 그럴 때 나는 소리도 들려주면서 오감으로 소리와 의미를 연결해서 '물'이라는 단어를 익히도록 한다.

그럼 이제 '물'을 영어로 바꿔서 말해볼까? "Water?" "You mean, water?" "You want some water?" "Do you want some water? Are you thirsty? You must be thirsty." 엄마가 영어를 조금이라도 할 수 있거나 공부했다면 단어에서 문장으로 말의 길이를 늘려가면서, 말을 반복하고 확장해가면서 아이에게 언어 자극을 줄 수 있다. 즉 0~만 3세 아이에게 최고의 영어 노출은 엄마 입에서 나오는 영어 소리인 것이다. 이것이 영유아를 키우는 엄마들에게 권하는 엄마표 영어다.

한편으로 아이에게 영어로 말 걸기는 유통기한이 짧다. 모국어가 폭발하는 만 3세가 되면 그전까지 영어를 듣고 말하는 걸 즐거워하던 아이도 영어를 거부할 가능성이 높아진다. 그러니 "영어 못 하는 나는 아이에게 엄마표 영어 환경은 못 만들어줄 것 같아요."라고 의기소침해할 필요 없다.

### ○ '영어 유치원' 보내요, 말아요?

"영어 유치원에 보내야 할지 말아야 할지 고민이에요." 해마다 11월이 되면 내 플랫폼에 끊임없이 올라오는 질문이다. 지금 생각해보면 좀 웃긴 노릇인데, 초창기 엄마표 영어 분위기는 험악했다. 아이를 엄마표 영어로 잘 키우다가 영어 유치원을 보내는 엄마는 소위 '육아결벽주의 엄마들'의 공격을 받곤 했기 때문이다. 한때 아이의 수준과 성향에 맞는 단행본을 엄마가 직접 골라주지 않고 전집을 들이면 아이 교육에 관심 없는 엄마로 취급하기도 했었는데, 마치 영어 유치원에 대한 혐오가 그에 못지 않았다. 하지만 영어 유치원이 무슨 죄란 말인가? 영어 유치원도 유치원 나름이며, 대부분의 영어 유치원은 유치원이라기보다 영어 학원에 가깝다. 아직 '학습'을 할 정서적, 인지적, 사회적 뇌가 성숙하지 않은 아이를 '학습적 접근'이 불가피한 영어 학원에 보내는 것이 그리 이상적인 선택은 아닐 수 있으나 그것은 개인의 문제다. 게다가 원장의 철학에 따라 각 영어 유치원의 교육과 환경의 질은 천양지차일 수 있고, 아이의 기질에 따라, 또 아이의 영어 노출 정도에 따라 영어 유치원은 아이에게 신나는 놀이터이자 자신의 영어 실력을 뽐낼 수 있는 무대가 될 수도 있다. 따라서 영어 유치원을 보냈다는 것 자체만으로 비난받는 것은 부당하다.

하지만 단순히 아이의 '영어 실력 향상'만을 목적으로 영어 유치원에 보내는 것은 말리고 싶다. 학원법상 학원에 속하는 영어 유치원이라면 더 그렇다. 언어는 학원에 보낸다고 습득되는 것이 아니기 때문이다. 학원은 커리큘럼이 있고 일정 기간 동안 끝내야 할 학습 진도(분량)가 있으며 경쟁해야 하는 친구들도 있고 교재를 사용해 '수업'을 한다. 당연히 이곳의 분위기는 '놀이' 위주가 아니라 '학습적'으로 흐르게 되므로 아이들은 수업 시간 내내 긴장할 수밖에 없다. 그러나 5~7세 아이들은 '재미'있을 때, 학습이 아닌 '놀이'를 통해 폭발적으로 배운다. 정서적으로 편안한 가운데, 땀이 뻘뻘 날 정도로 신나게 뛰어노는 그 순간에 의미 있고 재미있게 영어 인풋이 축적되면서 '영어를 자연스럽게 습득'한다.

다시 말하지만 5~10세 아이의 언어 습득 방식은 일반적이지 않고 특이하다. 이때는 뇌 속의 언어 습득 장치가 고사양으로 작동되는 시기다. 인풋의 양과 내용이 지극히 제한적일 수밖에 없는 영어 유치원이나 학원에서의 학습은 가정에서 엄마표 영어로 형성해주는 영어 환경의 양과 질을 따라잡을 수 없다.

아이가 영어 유치원에서 듣게 되는 영어 인풋의 양과 질을 한 번 상상해보자. 원어민 교사가 제아무리 베테랑이고, 수업 방식이 교재를 사용한 문제풀이가 아니라고 해도 수업을 듣는 아이들은 영어가 모국어가 아닌 6~7세 한국인 아이들이다. 원어민 교사는 이 한국인 아이들이 알아들을 만한 아주 쉬운 영어 단어와, 단순한 구조의 단문을 반복적으로 천천히 말해줄 수밖에 없다. 우리가 기대하는 다채로운 영어 인풋과는 다소 거리가 있다.

반면, 집에서 넷플릭스나 디즈니+ 같은 OTT 서비스의 영어권 프로그램을 엄마와 함께 시청하는 아이들은 어떨까? 미국의 어린이 프로그램인 《바다 탐험대 옥토넛(the Octonauts, 이하 옥토넛)》의 캐릭터가, '내셔널 지오그래픽' 채널의 프로그램 출연진이 시청자가 6세 한국인 아이라는 것을 고려해서 천천히, 쉬운 단어만 골라서 반복적으로 말할까? 이 같은 프로그램들은 원어민을 대상으로 만든 것이기 때문에 말의 속도감과 어휘의 다양성이 영어 유치원 수업에서 듣는 그것과 분명한 차이가 있다.

그러나 가장 중요한, 우리가 쉽게 간과하는 '아이의 정서'를 생각해보자. 오전 9시부터 오후 3시까지 영어로만 듣고 말해야 하는 영어 유치원, 그 교실 속에 내 아이가 앉아 있다면? 6세 아이에게 유치원은 생각보다 긴장된 공간이다. 모국어인 한국어를 쓰는 일반 유치원조차 그렇다. 단체 생활이 처음이라 모든 것이 낯설고 긴장되지만 아이는 그 공간에서 규칙, 약속, 기다림, 양보를 배우고 자기 영역을 만들고 지키는 연습도 해야 한다. 이 모든 것이 벅찬 상황에 영어 유치원은 '영어'라는 낯선 언어까지 보탠다. 아이가 어떻게 긴장하지 않을 수 있을까?

영어 유치원에서 언어적, 정서적으로 즐거워할 아이는 전체 원생의 10퍼센트 남짓일 것이다. (영어 유치원 교사 출신 선생님들의 증언에 근거하여) 우리 아이가 그 10퍼센트에 속한다면 영어에 긴장하기는커녕 영어가 모국어처럼 편할 것이다. 기질상 자신의 영어 실력을 뽐내는 것을 좋아하거나 물 만난 물고기처럼 영어 유치원 생활을 즐길 것 같다면 'Why not?' 기꺼이 보내시라. 하지만 그런 아이는 극소수다.

"우리 아이가 긴장도가 높고 영어가 서툴어 그 나머지 90퍼센트에 속한다면, 월 200만 원짜리 영어 유치원에 보내면서 아이 자존감과 정체성에 상처주지 마시고 2만 원으로 넷플릭스 구독해서 집에서, 정서적 편안함 속에서 영어를 가지고 실컷 놀게 해주세요. 영어 영상물 노출만 꾸준히 해줘도, 아이는 초등학교 입학 전에 영어 귀가 뚫려 미국 유치원생 아이의 귀에 버금가는 듣기 실력을 가지게 될 테니까요."

### ○ 학원보다 숨 막히는 24시간 엄마표 영어의 끝

엄마표라는 이름으로 아이를 학원보다 더 지독하게 굴리는 엄마들이 있다. 학원은 끝나는 시간이라도 있지 이런 엄마표는 잠들기 전까지 끝이 없다. 아이는 집에서 24시간 엄마의 감시와 지도하에 엄마가 정해놓은 5종 세트, 8종 세트를 해내야 한다. 그러나 앞에서도 여러 번 말했지만 엄마가 아이를 책상 앞에 앉혀놓고 강압적으로 가르치려고 한다면 그것은 올바른 엄마표가 아니다. 오히려 '나쁜 엄마표'다. 아이가 힘들어하든지 말든지 신경 쓰지 않고 몰아붙이는 엄마표라면, 아이가 집 안에 갇혀 고압적인 분위기 속에서 꾸역꾸역 미션을 해결하도록 만드는 엄마표라면 모두 나쁜 엄마표이자 실패할 엄마표다. 가장 큰 문제는 그것이 실패라는 걸 깨닫게 될 때는 이미 너무 늦었다는 것이다.

엄마의 열정(이라 쓰고 욕심이라 읽자)이 지나치면 아이를 세심하게 관찰할 여유가 없다. 오늘 나가야 할 진도를 빼야 하는데 아이가 꼼지락거리면 꼴 보기 싫고 짜증이 난다. 정해놓은 학습 진도를 맞추기 위해 아이가 거부하는 걸 못 본 척해야 한다. 그러나 **제대로 된 엄마표라면 아이의 거부, 아이의 풀린 눈빛이 중요한 신호라는 것을 '① 알아차리고 ② 존중하고 ③ 멈춰야' 한다.**

사실 나도 그렇게 앞만 보고 달리는 목표 지향적 '괴물 엄마'가 될 뻔했다. 내가 그러지 않을 수 있었던 것은 내가 영어 교육을 할 때 늘 거부하고 제동을 걸었던 우리 집 2호 덕분이다. 2호의 격렬한 거부를 마주할 때마다 멈춰야 했다. 그때마다 '왜지? 왜 거부하지?' 고민한 덕분에 지금의 내가 될 수 있었다. 여느 아이들보다 기가 센 2호 덕분에 아이의 마음을 차분히 들여다보는 훈련을 할 수 있었고, '아, 그럴 수 있겠어.' '넌 다 이유가 있었구나.' 하며 다각도에서 아이를 이해할 수 있는 엄마가 되었다. 2호의 한결같은 반항이 없었다면 지금의 내가 어떤 모습일지 생각만 해도 아찔하다.

아이가 어려서는 부모가 무서워서 참고 따른다. 기질적으로 순종적인 아이, 권위적인 부모에게 이미 겁에 질려 있는 아이는 부모가 시키는 것을 별 거부 없이 해낸다. 그러나 사실 이런 아이를 키우는 것이 더 힘들다. 부모가 아이 마음속에 어떤 스트레스와 불만이 있는지 알기 어렵기 때문이다. 이런 아이는 여지없이, 예외 없이 언젠가는 (빠르면 초등 고학년 때 느리면 중·고등학교 때) 폭발한다. 우리는 그런 아이들을 보며 사춘기라서 그렇다고, 호르몬 탓이라고 쉽게 말하지만 사실은 그게 아니다. 그동안 부모에게 억눌린 아이의 고통이 컸던 탓이다. 실제로 부모와의 관계가 좋고 건강한 경우 아이의 사춘기는 있는지 없는지 모르게 지나간다. 부모가 아이를 괴롭힌 적도, 아이가 부모에게 괴롭힘을 당한다고 느낀 적도 없기 때문이다. 이런 부모는 아이를 자식이기 이전에 한 인간으로서 존중하기 때문에 아이가 중·고등학생이 됐을 때 고작 성적으로 아이를 괴롭히지 않는다.

우리는 종종 사랑이란 명목하에 아이를 쥐고 흔든 가정의 아이가 사춘기 때 어떻게 무너지는지, 부모와 아이의 관계가 어떻게 산산조각 나는지 목격하곤 한다. 부모의 놀라운 부지런함과 치밀한 보살핌이 끝내 아이의 목을 조른다. 아이가 대학에 입학하자마자 남남이 되는 부모와 자식 관계. 그것이 과연 그 부모가 원했던 것일까?

그래서 진짜 엄마표 영어를 하려면 엄마가 자신의 기질을 잘 알아야 한다. 엄마 본인이 성격이 급하고 열정이 욕심으로 번져 아이를 잡을 것 같다면 학원을 활용해서 자신과 아이를 잠깐씩이라도 분리하는 편이 나을 수 있다. 단, 아이를 학원에 보내더라도 엄마표 영어의 끈은 유지되어야 한다. 독서 습관, 영상물을 영어로만 보는 루틴이 잡히기 전이라면 말이다. 특히 영어 소리 노출은 양과 질의 확보가 무엇보다 중요하기 때문에 가정 안에서 일정량의 영어 원서 읽기와 영상물 시청(청취)이 유지되어야 한다. '영어 학원' '영어 유치원'은 내공을 뽐내는 무대이고, 무대에 오를 진짜 실력을 쌓고 닦는 현장은 '가정'이다.

## 무엇으로 아이의 영어 성장을 알 수 있나?

아이의 영어가 늘고 있다는 건 어떻게 확인할 수 있을까? 0~5

세는 모국어인 한국어도 어눌한 나이다. 한국어도 잘 못 하는 아이에게 영어 아웃풋을 다그치지 않고서도 아이의 영어 실력이 잘 자라고 있다는 것을 우아하게 확인할 방법은 생각보다 많다. 예를 들어, "Could you give me that toy car(저 장난감 자동차 좀 엄마한테 줄래)?"라고 말했을 때 아이가 블록이 아닌 자동차를 가져온다면 아이는 'car(자동차)'라는 단어도 아는 것이고 'give(주다)'라는 동사도 알고 있는 것이다. 또 문장 끝의 살짝 올라가는 억양을 듣고 '엄마가 나에게 뭔가 묻고 있구나, 부탁하고 있구나.' 하고 알아차렸다는 것도 알 수 있다.

내 경우 아이들과 한창 단어 벽돌을 쌓을 때 많이 했던 놀이 중에 'Yummy, yummy, pizza(맛있고 맛있는 피자)!'라는 놀이가 있었다. "Yummy yummy, pizza!"라고 엄마가 챈트를 하면 아이가 "Yum, yum, yum(얌얌얌)!" 대답하는 놀이인데, 엄마가 챈트에 먹을 수 없는 엉뚱한 명사를 넣어본다. 예를 들어, "Yummy, yummy, table(맛있고 맛있는 탁자)!" 이렇게. 그러면 아이는 까르르 웃으면서 "No, no, no!" 하고 말한다. 엄마가 챈트에 엉뚱한 단어를 넣을수록 재미는 더 커진다. "Yummy, yummy, poo(맛있고 맛있는 똥)!" 하면 아이는 자지러지며 웃는다. 이렇게 놀다 보면 아이가 얼마나 많은 어휘를 알고 있는지 파악할 수 있다.

아이가 자연스럽게 습득한 단어들은 모두 영어 동요, 영어 그림책, 영어 영상물을 통해서 자기도 모르게 습득한 것들이고, 그렇게 가랑비에 옷 젖듯이 아이 머릿속에 스민 어휘량은 상당해진다. 말이 서툰 유아이지만 엄마가 세심히 아이의 시선, 몸짓, 행동을 관찰하면 아이의 영어가 모국어와 함께 잘 자라고 있다는 것을 알 수 있다. 영어 소리 인풋에 사용되는 영어 그림책, 챕터북, 영어 영상물의 수준이 조금씩 어렵고 복잡해지는 것만으로도 아이의 영어가 자라고 있음을 충분히 확인하는 셈이다.

그러므로 10세 전까지는 초조해하지 말기. 아이의 아웃풋을 재촉하거나 조급해지는 마음을 경계하자. 엄마의 불안과 조급증은 아이에게 직접적으로 영향을 미친다. 모국어 발화도, 기저귀 떼는 것도, 배변 훈련을 하는 것도, 두 발로 걷는 것도 다 때가 되면 한다. 영어 아웃풋은 그보다 더 기다려줘야 한다. 아이의 때가 무르익을 때까지 침착하고 우아하게 기다리자. 조급증을 버리고 여유를 가지고 영어와 아이를 대한다면 이것만 잘해도 엄마표 영어의 90퍼센트는 성공이다.

앞서 말한 것처럼 어떤 아이는 끝내 영어 발화를 하지 않을 수도 있다. 영어 귀는 열려 있고, 눈으로는 [해리 포터] 시리즈의 영어 원서를 편안하게 묵독하지만 끝내 말은 하지 않을 수 있다는 이야기다. 이건 아이 성향의 문제다. 성향에 따라 어떤 아이는 '말'이 아니라 '글'로 아웃풋을 보이기도 하는데, 어느 쪽이든 내 아이가 조금 더 자신 있어 하는 쪽을 선택해 강화하기를 추천한다. 스피킹할 수 있는 아이는 결국 자신이 말로 중얼거린 걸 글로 바꿔서 쓸 수 있고, 라이팅이 술술 되는 아이는 그것을 입으로 말할 능력을 갖고 있기 때문이다. 말하기와 쓰기는 연결되어 있는 아웃풋이니 "읽기, 듣기, 말하기, 쓰기 네 가지 모두 고루 발달해야 한댔어!"라고 고집 부리며 진땀 뺄 필요 없다. 뽀송뽀송하고 유연하게 아웃풋 훈련 유도하기. 단 초등학교 4학년 이후에.

스피킹이건 라이팅이건 그것을 욕심내볼 나이는 방금 말했듯이 10세 이후다. 초등학교 4학년 즈음에 시동을 걸어봄직하다. 그전까지는 오로지 인풋에 집중하자. 아, 물론 아이가 자발적으로 말하고 쓴다면 고마운 일이니 말릴 이유가 없다. 하지만 아이가 준비되어 있지 않거나 원하지 않을 때는 그 어떤 아웃풋도 강요하거나 몰아붙이지 말기. 아이의 영어 독서가 유지되고, 아이가 읽는 영어 원서의 레벨이 차근차근 올라간다면 그것 자체가 값진 아웃풋이다.

## 유아에게 기대할 영어 아웃풋이란?

만 3세 이하의 아이들은 말 못 하는 강아지와 같다. 그런 아이들이 두세 개의 단어를 조합해서 문장을 만들고 문법적으로 오류가 없는 문장을 구사하기 시작한다. 하지만 그 역시도 굉장히 제한적이다. 어느 정도 자기 의사를 말로 표현할 수 있는 유치원생이라 할지라도 자신의 상황이나 감정을 객관적으로 파악하는 것은 어렵고, 그걸 말로 야무지게 전달하는 것도 쉽지 않다. 그 때문에 아동의 뇌와 발달을 연구하는 과학자들은 아이의 '언어'가 아닌 '행동'으로 분석한다. 그것이 더 정확한 데이터이기 때문이다. 특히 아이의 '눈', 시선이 머무는 곳과 머무는 시간은 아이에 대해 굉장히 많은 단서를 제공한다.

즉 이 시기의 진정한 영어 아웃풋은 어쩌면 아이가 입으로 내뱉는 몇 마디 영어 단어가 아니라 엄마가 읽어주는 영어 그림책을 뚫어져라 보는 눈빛, 다음 문장을 기다리며 꼴깍 침 넘기는 소리, 타이밍을 맞춰 책장을 넘기는 고사리 같은 손일 것이다. 이 같은 반응을 보고 엄마는 힘을 내서 다른 영어 그림책, 영어 영상물을 찾고 또 찾을 수 있다.

# 새벽달은 어떻게<br>엄마표 영어를 시작하게 되었나

## 임신 전부터 꿈꿔온 '3개 국어 환경'

통역 대학원에 다니던 시절 소개팅으로 남편을 만났고 학기 중에 결혼을 했다. 졸업논문을 쓰고 졸업시험을 준비하느라 정신없이 바쁜 마지막 학기에 임신 사실을 알았다. 그때 결심했다. 뱃속의 아이에게 실험을 한번 해보기로. 모국어인 한국어, 전공어인 중국어, 그리고 서툴지만 영어, 3개 국어 환경을 만들어 보기로 말이다.

그 당시 논문을 쓰면서 미국의 언어학자인 노암 촘스키를 알게 되었는데, 그가 주장하는 언어 습득 장치(LAD, Language Acquisition Device) 이론이 몹시 흥미로웠다. 이 이론에 따르면

만 3세 이전의 아이는 태어날 때부터 언어 습득 장치를 가지고 있어서 1차 언어자료(Primary Linguistic Data), 즉 처음 접하게 되는 모국어 소리 데이터와 문장을 조합할 때 필요한 모국어 문법을 통합적으로 응용할 수 있어서 성인이 상상할 수 없는 속도와 효율로 새로운 언어를 습득한다고 한다. 이 시기의 아이는 언어를 '학습'하지 않고 '습득'하는데, 그 효과를 극대화하는 것이 바로 이 언어 습득 장치라는 것이다.

이 언어 습득 장치 이론은 아이가 문법을 학습하지 않았음에도 만 3세가 되면 문법적 오류 없이 언어를 구사할 수 있는 이유를 설명한다. 관건은 이러한 언어 습득 장치가 언제 소멸되는가인데, 이에 대해서는 만 3세부터 만 12세를 기준으로 학자마다 주장하는 시기가 다르지만 만 12세까지는 언어 습득 장치가 작동된다는 의견이 대세였다. 흥미로운 점은 이 장치가 활발하게 작동되는 시기에는 외국어라도 학습이 아닌 습득이 가능하다는 이야기로, 이는 아이가 의미 있는 외국어 소리를 양껏 들음으로써 모국어를 습득하는 효율로 외국어를 습득할 수 있다는 의미였다.

다시 논문을 쓰던 임신 시절로 돌아가서, 촘스키의 이 이론이 정말 맞다면 한국 땅에 살면서 아이를 바이링구얼(bilingual)로 키우는 것도 불가능하진 않을 것 같았다. 뱃속의 아이와 이런 파격적인 실험을 할 수 있다니 생각만 해도 신이 나고 호기심이 커졌다. 아이가 태어날 날이 점점 기다려졌다.

> 그때는 몰랐지만 20년 후에 알게 된 사실. 외국어를 받아들이는 아이의 귀와 성인의 귀, 즉 어린아이와 성인의 뇌가 달라서 자주 일어나는 에피소드 하나가 성인은 아이가 《옥토넛》과 같은 영어 영상물을 '이해하면서' 볼 때 그 사실을 의심하는 것이다. 영상물 속 영어가 너무 빨라서 성인은 영어 자막을 보거나 중간에 화면을 정지시키고 스크립트를 확인하면서 해석해야 영상물 속 말의 의미를 명확히 파악할 수 있기 때문이다. 그러므로 나름 합리적인 의심을 한 것인데, 이는 어린아이의 뇌에 언어 습득 장치가 있다는 사실을 간과한 것이다. 아이의 귀(뇌)는 성인의 것과는 다르다. 아이는 모국어를 익힐 때 '눈치'로 말의 의미를 파악하듯이 영어도 눈치로 그 뜻을 파악해버린다.

## 내 모성애의 8할은 엄마표 영어

첫 아이인 1호를 낳았을 때 워킹맘이었던 나는 소위 모성애 '쩌는' 엄마였다. 이른 아침에는 잠이 덜 깨 눈도 못 뜨는 아이를 업고 어린이집에 눕히고 출근했다. 회사에서는 일에 전념했지만 퇴근 시간이 가까워오면 1호를 만날 생각에 마음이 설렜다. 어린이집 종일반 아이는 1호와 다른 아이 둘뿐이었는데, 저녁 6시면 그 아이마저 집으로 돌아가기 때문에 1호는 내가 도착하는 저녁 8시까지 혼자 원장 선생님이나 보조 선생님과 나를 기다려야 했다. 온종일 엄마를 그리워했을 아이 생각에 나는 늘 지하철역에서 어린이집까지 숨차게 달렸다. 어린이집에 도착하면 곧장 문을 열고 "엄마!" 하고 뛰어나오는 1호에게 달려가 아이를 꽉 껴안았다.

하루는 어린이집 원장 선생님이 그런 우리를 물끄러미 보다가 물었다. "1호 어머님은 어쩜 한결같이 날마다 그렇게 애를 그렇게 반기고 안아주세요? 다른 워킹맘들은 퇴근하고 아이 데리러 오면 하나같이 피곤하고 지친 모습인데 어머님만 달라요. 애가 그렇게 예뻐요? 피곤도 잊을 만큼?" 그 말에 일하는 다른 엄마들은 나와 같지 않다는 데서 오히려 내가 더 놀랐던 기억이 있다.

1호와 나는 날마다 서로를 그리워했고 만나면 그렇게 껌딱지처럼 붙어 있었다. 함께할 수 있는 퇴근 후 몇 시간이 몹시 소중했고 일분일초가 아까웠다. 새벽 1시가 넘도록 "책 읽어줘. 책 읽어줘."라고 보채며 엄마를 찾는 아이가 안쓰러워서 졸려 쓰러질 때까지 책을 읽어주고 이야기를 나눴다. 1호는 책 읽는 것도 좋아했지만 낮에 있었던 일들을 재연해서 동화처럼 들려주는 것을 참 좋아했다. 나는 내 인생의 첫 아이, 1호를 무척이나 아끼고 사랑했다. 주위의 가까운 지인들이 "넌 둘째 낳아도 네 눈엔 큰애

만 보일 거다. 어쩜 그렇게 한결같이 닭살이니?"라고 놀릴 만큼.

그렇게 애틋한 우리였지만 산후조리원에서 막 나와 우리 집 거실에 아이와 나만 단 둘이 남겨졌던 첫날의 낯섦이 아직도 생생하다. '이 아이가 내 아이가 맞나? 나 정말 엄마 된 거 맞아?'라는 물음이 머릿속에 맴돌고 나는 아직 어린애인데 어른 옷을 입고 어른 행세를 하는 것처럼 모든 상황이 어색하고 부자연스럽게 느껴졌다. 게다가 말 한마디 못 하는 갓난아이에게 말을 걸기도 이상했다. 어차피 못 알아들을 텐데. 무뚝뚝한 나는 더 입이 떨어지지 않았다. 말 못 하는 신생아에게도 끊임없이 쫑알쫑알 속닥속닥 사근사근 혼잣말을 잘하는 동네 언니를 보면 참 신기하기도 하고 부럽기도 했다. 아무리 노력한다고 해도 나는 다정한 수다쟁이 엄마가 되는 건 영원히 무리일 거라고 생각했다.

돌파구는 예상하지 못했던 곳에서 발견됐다. 바로 엄마를 위한 영어 회화책이었다. 당시 영어를 한마디도 못 했던 나였지만 임신 전부터 결심했던 '아이에게 영어로 말 걸기'를 실천하기 위해 그 시기에 쓸 수 있는 실용적인 영어 회화책이 필요했다. 그때 구입한 책이 엄마가 아이에게 건넬 수 있는 말을 상황별로 모아 놓은, 엄마를 위한 영어 회화책 『Hello 베이비, Hi 맘』이었다. 난 그 책 속 영어 문장을 소리 내서 달달달 외웠다. 나만의 회화 노트를 마련해서 왼쪽에는 한국어 번역문을 쓰고 오른쪽에는 영어 문장을 썼다. 그렇게 외워야 할 문장들을 한·영 두 버전으로 필사한 후, 노트 왼쪽 페이지에 적어둔 한국어 문장을 눈으로 보면서 입으로 영작하는 연습을 했다. 1호가 잠든 시간은 나만을 위한 달콤한 영어 공부 시간이었고, (내가 이 시기에 엄마표 영어를 위해 어떻게 공부했는지는 '4부. 엄마표 영어 어부지리, 엄마의 영어 성장'에 구체적으로 설명해두었다.) 그렇게 외운 영어 문장들을 활용해 아래처럼 1호에게 말을 걸었다.

Oh, why are you crying? Is your diaper wet?

어머, 왜 우니? 아가야. 기저귀가 젖었니?

Let me check your diaper.

엄마가 기저귀를 한번 볼게.

Oh, it's wet. Let me change your diaper.

이런, 젖었구나. 엄마가 기저귀를 갈아줄게.

See? Do you feel better now?

어때? 이제 기분이 좋지?

Yes. You feel great now. I can see that!

그래. 네가 얼마나 기분이 좋은지 엄마가 알겠어!

사실 나는 낯간지러워서 이런 말 절대 못 한다. '기저귀가 젖었네? 갈아야겠구먼.' 생각하고 말없이 기저귀를 갈았을 것이다. 그런 성격의 내가 엄마표 영어를 위해 영어 공부를 시작한 후 기저귀가 젖은 것을 발견한 순간부터 기저귀를 가는 과정, 그 동작 하나하나를 주절주절 묘사하고 있었다. 그것도 영어로! '아이에게 영어로 말 걸기'라는 자신과의 약속을 실천하면서 얻은 수확은 뜻밖에도 '영어'가 아니라 굳게 닫힌 무뚝뚝한 내 입이 열렸다는 사실이었다. 처음 혼잣말을 시작하는 게 어렵지, 회화책에 나와 있는 '상황별 영어' 문장을 연습하다보니 어느새 아이 얼굴을 씻기면서, 양치질을 도와주면서 그 과정을 하나하나 묘사할 수 있었다. 내가 이렇게 길게 수다를 떨 수 있는 인간이었다니. 게다가 영어로! 이제 영어로 1분 말하기가 식은 죽 먹기일 만큼 편해진 것이다.

처음에는 어색했던, 표현을 잘하는 엄마 흉내가 날마다 연습하다보니 익숙해졌고, 미국 영화나 드라마 속 엄마들처럼 "I love you! My lovely boy! My sweetheart!" 식으로 순간순간의 감정들을 그때그때 말로 묘사하는 다정한 엄마로 환골탈태하게 됐다. 그럴 때마다 1호는 마치 내 말을 알아듣는 것처럼 눈을 동그랗게 뜨고 내 입을 쳐다보며 내 목소리에 집중했다. 이 영어 회화책을 외워서 일상에서 활용해본 경험이 훗날 아이와 대화가 끊이지 않는 친밀한 모자 관계가 되는 데 도움이 됐다는 것도 나중에서야 알게 되었다.

3개 국어 환경을 만들려던 나는 영어뿐만 아니라 중국어로도 비슷한 방법을 시도했고, 실제로 아이가 서서히 말문이 트일 때

쯤에는 아이의 입에서 서툴지만 한국어, 영어, 중국어가 섞여 나오기 시작했다. 무엇보다 쫑알쫑알 이야기하기 시작하면서부터는 혀 짧은 아이 발음도 귀엽고, 두 단어를 조합해서 자기 의사를 전달하려고 애쓰는 모습도 귀여웠다. 도대체 이런 단어는 어디서 배웠지? 싶을 정도로 어려운 한자어를 말할 때면 웃기기도 기특하기도 했다.

아이의 언어 발달에 관심이 많았던 나는 아이가 내뱉는 한국어, 영어, 중국어를 그때그때 모아 기록해두었다. 아이의 말과 행동 반응을 꼼꼼하게 기록하고 관찰하고 일기로 남겼다. 기록의 힘은 대단해서 그것을 쓰는 순간뿐만 아니라 다시 꺼내 읽을 때마다 아이에 대한 사랑이 커졌다. 어느새 내 앞에서 아장아장 걷는 아이는 더 이상 산후조리원을 나온 그날 거실에 누워 있던 '낯선 아이'가 아닌, 눈에 넣어도 아프지 않을 '내 새끼'가 되어 있었다.

모성애란 생득적인 것일까 아니면 의식적으로 만들어지는 것일까? 사람들이 종종 이런 의문을 갖는데 나는 모성애란 만들어지는 것이라고 생각한다. 쉼 없는 소통과 꾸준한 노력에 의해서. 대부분의 사랑이 그러하듯이. 아이에게 말을 걸고 단둘이 눈빛과 숨소리로 대화를 나누면서 나는 아이와 사랑에 빠졌다. 모성애는 본능이 아니라 그렇게 하루하루 쌓이고 깊어지는 감정이라는 걸 나는 그때의 경험으로 확실히 알았다.

## 엄마가 영어를 잘해야만 엄마표 영어가 가능한 걸까?

### ○ Case 1.

**엄마가 중국인인데 애들이 중국어를 한마디도 못 한다고?**

내가 엄마표 영어를 한다고 했을 때 주변에서 가장 많이 들었던 반응은 이거였다.

"새벽달 님은 영어를 원래 잘하시잖아요. 중국어 동시통역도 하셨고. 그러니까 애들이 영어, 중국어를 잘하는 건 당연한 거죠. 엄마가 전문가니까요."

이런 말을 하는 사람들에게 나는 대학원에서 만났던 한 교수님의 이야기를 들려주고 싶다. 동시통역 수업을 해주시던 그 교수님은 중국인이었으며 한국어도 모국어인 중국어처럼 편안하게 구사하는 분이었다. 세 아이의 엄마이기도 했다. 당시 임신 중이었던 나는 교수님께 아이가 태어나면 한국어, 중국어, 영어 3개 국어가 가능한 아이로 키우고 싶다고, 실험을 해보고 싶다고 말했다. 그때 교수님은 웃으면서 "야, 우리 애들은 엄마가 중국 사람인데 중국어를 한마디도 못 해. 잘해봐."라고 하셨다. 본인은 일하느라 바빠서 아이들 중국어에 신경 쓸 새가 없었고, 결국 세 아이 모두 엄마의 모국어인 중국어를 한마디도 제대로 할 줄 몰라서 아쉽고 후회된다면서.

미국에서 살고 있는 재미교포 1.5세 이후 세대의 경우에도 부모가 특별히 신경 쓰지 않으면 아이들은 금방 모국어를 잊어버리고 '생존어'인 영어만 쓰게 된다고 하니 사실 교수님의 이야기가 이상한 것도 아니었다. 결국 아이의 영어는 부모의 '영어 실력'이 아니라 '의지'에 달렸다. 그리고 이 의지라는 것도 '확신'이 있어야 불태울 수 있다. 모국어가 완성되기 전에 의식적으로 아이를 영어 소리에 노출시키면 아이는 영어를 모국어처럼 습득한다는 노암 촘스키 이론에 대한 확신 말이다. 이 믿음을 바탕으로 아이에게 영어 소리 듣기 '루틴'을 잡아주면 영어를 한마디도 못하는 부모라도 성공적으로 아이의 영어 귀를 뚫어줄 수 있다.

지금 우리는 넷플릭스와 디즈니+, 왓챠, 쿠팡플레이 등 각종 OTT 서비스에서 버튼만 누르면 영어 영상물이 쏟아져 나오는 디지털 시대에 산다. 누구보다 훨씬 유창하게 영어를 구사하는 '까이유(어린이를 위한 캐나다의 TV 시리즈 《까이유(Caillou)》의 주인공인 네 살 소년)' 엄마의 영어를 날마다 들을 수 있다. 반복해서 그 영상을 본 5세 아이는 상상력을 동원해서 혼자 1인 2역을 하기도 한다. (예를 들어 "나는 까이유, 상상 속 친구야. 너는 엄마 해 아라찌?")

○ **Case 2.**

## 엄마가 동시통역사인데 영어를 한마디도 못 하는 아이

엄마가 영어 동시통역사인데 영어를 한마디도 못 하는 경우나 엄마가 화교인데 중국어를 한마디도 못 하는 경우는 흔하다. 어쩌면 당연한 일이다. 엄마가 동시통역사이니 당연히 아이가 외국어를 잘할 거라는 생각이 오히려 이상하다. '엄마가 아이에게 영어로 말하는 게 어렵지 않을 테니 아이도 영어를 잘하겠지?'라는 짐작인 건데, 그것이야말로 엄마의 강력한 의지, 의식적인 노력이 필요한 일이기 때문에 더 어렵다. 무엇보다 퇴근 후 엄마가 아이에게 건네는 몇 마디 영어 문장은 턱없이 부족한 양의 인풋이다. 그것은 아이의 아웃풋을 유도하거나 영어로 말하는 재미를 느끼게 해주는 유희 정도 될 수 있겠다.

아이에게 양적, 질적으로 의미 있는 인풋을 축적하는 데는 원어민을 대상으로 만들어진 영어 애니메이션만 한 게 없지 않을까 싶다. 영어 동시통역사인 엄마는 퇴근하고 집에 오면 영어는 커녕 한국어로도 한마디도 하기 싫을 만큼 지쳤을 수 있겠지만 까이유 엄마나 영국의 유명한 아동용 애니메이션 《페파 피그(Peppa Pig)》의 주인공, '페파'의 부모는 재생 버튼만 누르면 영어를 쏟아낸다. 즉 영어 애니메이션을 활용하는 것은 '꾸준한' 영어 소리 노출이라는 측면에서 누구보다 안정감 있는 인풋을 제공할 수 있는 방법이다. 결국 엄마표 영어의 승패를 가르는 것은 엄마의 '영어 실력'이 아니라, 날마다 같은 시간 영어 소리를 들을 수 있는 '환경'을 만들어주는 엄마의 의지, 그 의지가 반영된 '루틴'일 것이다.

### ○ Case 3.
### 엄마가 한국인이라도 아이는 한국어를 한마디도 못할 수 있다

미국에서 공부할 때 한국어가 서툰 재미교포 초등학생들에게 한국어를 가르치는 봉사를 한 적이 있다. 한글학교이니 당연히 한국어로 수업을 해야겠다는 생각에 처음에는 그렇게 했다. 그런데 웬걸, 아이들이 거의 못 알아듣는 듯한 표정이었다. 영어로 바꿔 말하니 그제야 분위기가 살아났고 원활히 수업할 수 있었다. 그때 학생들의 한국어 듣기가 말하기 못지않게 서툴다는 사실을 깨닫고 조금 충격을 받았다. 이들의 부모는 대부분 모국어가 한국어인 한국인이고, 적어도 집에서는 한국어를 주로 쓸 텐데 어떻게 아이들은 한국어를 이렇게 못 알아듣고 말을 못 하지?

그 와중에 한국어를 꽤 잘 구사하고 한국어로 쓰인 책을 낭독시키면 또박또박 잘 읽는 친구 몇몇이 눈에 띄었다. 어떤 차이가 있는지 궁금해서 물어보니 이런 친구들에게는 공통점이 있었다. 그 아이들의 엄마가 의식적으로 한국어 교육에 신경을 쓴다는 점이었다. 그 엄마들은 매주 거르지 않고 아이를 한글학교에 데려다줬고 한글학교에서 내주는 한국어 숙제를 꼼꼼하게 체크해서 보냈다. 한국어책 낭독도 미리 집에서 연습시켰던 거였다. 한국어를 귀하게 여기고 날마다 시간을 확보해서 낭독하고 듣는 루틴이 있는 집의 아이들이 그나마 한국어가 자연스러웠다.

한글학교에 오는 아이들은 대부분 미국에서 나고 자랐지만 그 부모는 모국어가 한국어인 한국인이다. 부모의 한국어 실력은 원어민이지만 부모가 '의식적으로' 아이에게 한국어 소리를 들려주고 그것을 유지하기 위해 꾸준히 노력하지 않으면 아이들의 한국어는 환경어인 영어에 밀려 아이들에게서 점차 소멸되어 버린다. 즉, 모국어든 외국어든 해당 언어에 대한 부모의 실력이 아이의 언어 능력을 판가름하는 게 아니라는 말씀. 그러니 이제 '엄마가 영어를 잘하니까 애들이 영어를 잘하지. 영어 유치원을 다녔으니까 영어를 잘하지.'라는 말은 하지 말자.

결론적으로 아이의 영어는 엄마의 영어 능력과 절대적 상관관계를 가지지 않는다. 앞서 말했지만 엄마표 영어를 시작할 당시 내 영어 실력은 바닥이었다. 잠든 아이 옆에 누워서 중학생처럼 영어 단어와 문장을 쓰고 달달 외우며 공부했다. 그 자투리 시간이 쌓이고 쌓여 내 영어 귀와 입이 트였을 뿐이다. 엄마가 본인의 영어 공부에도 관심이 많다면 금상첨화겠지만 없는 관심을 억지로 끌고 와 영어를 공부할 필요는 없다. 오늘날은 미디어를 활용해 아이에게 더 나은 영어 환경을 만들어줄 수도 있고, 때로는 엄마의 어설픈 영어가 아이의 영어 실력 향상에 도움이 되기도 하니까. 무엇보다 엄마표 영어는 생각보다 유통기한이 짧다. (80~81쪽 참조) 길면 5~10세, 짧으면 5~7세 시기로 끝난다. 다시 한번 강조하지만 아이의 영어는 엄마의 영어 능력이 아니라 '시간'과 '꾸준함'이 키운다. 이 사실을 꼭 기억했으면 싶다.

# 엄마표 영어가 힘들지 않았던 이유

나는 엄마표 영어도, 육아도 진심으로 힘든 줄 모르고 순간순간 모든 단계를 마음껏 즐기며 지나왔다. 어떻게 그럴 수 있었을까 돌이켜 생각해보니 내 성향의 영향도 있었지만 몇 가지 요령이 있긴 했다. 그 방법들이 육아에 지친 엄마들에게 약간의 팁이 되길 바라는 마음으로 적어본다.

## 낮은 기대치

나는 어렸을 때부터 사람에 대한 기대가 낮았다. 인생에 대한 기대, 결혼에 대한 기대, 심지어 아이에 대한 기대도 없었다. 연애를 하면서도 늘 이별을 생각했고 결혼에 대한 로망도 없었으며, 이 힘든 인생 하루하루 살아내는 것 자체가 기특하지, 하는 마음으로 살았기 때문에 육아를 대하는 태도도 다르지 않았다. 아이 키우는 일이 만만치 않을 것이라는 전제하에 가끔은 최악의 상상을 하기도 했다. 그래서일까? 육아의 고비 고비마다 '힘들어, 죽을 것 같아.'라는 생각보다 '뭐야, 할 만한데? 이 정도면 훌륭한데? 생각보다 잘 풀리고 있어.' 하는 날들이 더 많았다. 기대가 낮으니 뜻밖에도 감사가 잦아졌다. 아이를 키우면서 마주하는 작은 성공이, 뿌듯한 보람이 차곡차곡 마음 통장 잔고에 채워졌다. 급기야 '뭐야, 나 육아 체질인가?' 하는 '자뻑'의 단계에 도달하기도 했다. 이런 선순환은 애초에 큰 기대 없이 시작했기에 가능했고, 다음에 이야기할 '글쓰기' 덕분에 지속해낼 수 있었다.

## 온라인상에 전체 공개로 글쓰기
## : 내 삶을 바로잡아주는 독자 한 명

앞에서 이야기했던 '쑥쑥닷컴'이라는 유아 영어 사이트를 알게 된 후, 나는 그 커뮤니티에 푹 빠져버렸다. 당시 나는 내 계획대로 아이에게 한국어, 영어 소리뿐만 아니라 중국어 소리도 노출해주고 있던 터라 '삼중어 ○○맘'으로 불렸고, 게시판에 활발하게 글을 올리기도 했다. 주로 1호에게 만들어주는 언어 자극 환경과 1호의 반응에 대한 관찰 일지를 쓴 것이었다. 이론적 근거를 바탕으로 한 경험을 이야기하니 많은 사람들이 공감해줬고 급기야 그 사이트의 필자로 활동하게 되었다.

수십만 명의 사람들이 모인 커뮤니티 게시판에 글을 써본 사람들은 알겠지만 '보는 눈'이 많은 온라인 커뮤니티에 '전체 공개'로 글을 쓴다는 것은 공포스러운 일이다. 글 속에는 글쓴이의 단점, 부족함을 포함해 많은 것이 무방비 상태로 드러나기 때문이다. 그런데 시작이 힘들었을 뿐 막상 내 생각을 있는 그대로 털어놓고 나니 마음이 솜털처럼 가벼워졌다. 무엇보다 내가 마음을 열자 공개, 비공개할 것 없이 댓글로 본인 마음을 열어 보이는 사람들도, 공감해주는 사람들도 많았다. 글쓰기는 그렇게 하루 일과 중 빼놓을 수 없는 나만의 힐링 시간이 되었다.

2006년에는 네이버에 블로그를 개설해서 나만의 글쓰기 아지트를 만들었다. 언어(영어)와 육아, 크게 이 두 개의 카테고리로 시작해서 아이들 관찰 일지, 어록, 그림책 이야기에서부터 엄마표 영어, 엄마표 중국어, 그리고 엄마의 자기계발을 위한 독후 기록까지 차곡차곡 블로그를 채워갔다. 2006년부터 2021년까지 거의 날마다 두세 편의 글을 써서 포스팅했으니, 그렇게 게시한 글만 해도 1만여 편이 넘는다. 독자 한 명으로 시작한 블로그가 2021년 말쯤에는 구독하는 이웃의 수가 5만 명이 넘는 파워블로그가 되었다. 게다가 그 사이 출판사로부터 출간 제안까지 받고 책을 출간하면서 블로그 이웃 수는 더 늘어났다. 그 결과 내 글쓰기 아지트는 어느새 수만 명의 엄마들과 함께 울고 웃는 소중한 공간이 되었다. 이 모든 것이 시작할 때는 생각하지도 못했던 일이다.

어찌 보면 내가 엄마표 영어, 즉 영어 육아에 지치지 않고 순간순간 재미있다, 보람 있다, 배운다, 성장한다 말할 수 있었던 까닭은, 나와 내 아이의 언어 성장, 마음 성장 과정을 온라인 게시판에 전체 공개로 연재했기 때문이 아닐까 싶다. 글을 쓰면서 내 행동과 마음을 들여다보고 하루를 돌아보면서 늘 깨닫는 것은 이것이었다. '오늘 하루도 엉망진창으로 보냈는 줄 알았는데 이렇게 보석처럼 빛나는 순간이 있었네. 감사하다.' 내가 주절주절 써 내려간 글을 읽고 위로가 되었다고, 나아갈 힘을 얻었다고, 고맙다고 댓글로 마음을 나눠주는 이웃들. 그 나눔의 기쁨이 커서 육아의 고달픔이 마비가 되었던 게 아닐까?

이런 이유로 블로그나 인스타에 글을 쓸 때 나는 비공개가 아닌 '전체 공개'로 쓸 것을 추천한다. 인간은 '독자'가 한 명이라도 있어야, 그와의 '소통'이 있어야 그것이 '동력'이 돼서 '꾸준히'가 가능한 동물이기 때문이다. 독자가 있는 곳에 글쓰기를 권한다. 하루하루 글을 올릴 때마다 그 한 명의 독자를 생각하면서 쓰기 때문에 글이 촘촘해지고 다듬어진다. 게다가 내 삶의 궤적을 지켜보는 사람들을 위해서라도 더 열심을 다해 살게 된다. 한 번 더 실천하고, 한 번 더 사색하고, 더 좋은 경험들을 많이 나누고 싶은 마음에 하루하루 의미 있게 살고자 노력하게 된다. 내게는 그 동력이 되어주는 게 바로 독자가 있는 장에서의 공개적인 글쓰기였다. 그렇게 10년 가까이 블로그에 자신을 솔직하게 드러내며 글을 쓰다 보니 가족처럼 정을 나누는 랜선 친구들이 생겼고 생각지도 않게 세 권의 책까지 출간하게 되었다.

## 모닝 글쓰기 :
## 자기 직면에서부터 아이디어 발상까지

그 누구에게도 보여주지 않는 노트에 의식의 흐름대로 써내려가는 모닝 글쓰기는 나에게 또 다른 선물을 가져다줬다. 모닝 글쓰기란 새벽에 일어나자마자 연필을 쥐고 마음 가는 대로 써보는 글쓰기를 말한다. 도대체 무슨 글을 쓰란 말인가? 너무 막막한 사람들은 『아티스트 웨이(The Artist's Way)』라는 책을 교재 삼아도 좋겠다. 이 책은 12주에 걸쳐 매주 함께 써보면 좋을 주제를 제시하는데, 각자 그 주제에 대해 자기 생각을 써보는 것이다. 하지만 그렇게 주제를 잡고 쓰는 글이 부담스럽다면 마음대로 써보는 것도 좋다. 나는 두 가지를 유연하게 섞어서 모닝 글쓰기를 했다. 무엇보다 이 모닝 글쓰기를 하다보면 뜻밖의 열매를 맺게 되는데, 대략 다음과 같다.

### ○ 자기 직면

모닝 글쓰기의 만만치 않은 점은 바로 종이 세 페이지를 꽉 채워야 한다는 점이다. 글쓰기 자체를 안 해본 사람이라면 한 페이지는커녕 반 페이지 채우기도 힘들다. 그럴 때는 '도대체 무슨 글을 쓰라는 거야. 쓸 말이 없는데 뭘 쓰지? 이렇게 의식이 흘러가는 대로 아무렇게나 쓴다고 뭐 달라지는 게 있겠어?'라는 말을 쓸지언정 일단 페이지 채우는 것을 목표로 한다. 그렇게 써내려가다 거의 세 번째 페이지 말미에 다다르면 비로소 끝내 직면하고 싶지 않았던 '그것'을 만나게 된다. 내 경우에 그것은 내 마음 깊은 곳에 숨어 있는 진짜 욕망과 욕구였다. 그것을 마주할 때마다 '아! 너 이거 정말 하고 싶었구나.' 하는 탄성이 터져 나왔다. 며칠에 걸쳐 유난히 자주 언급되는 단어가 있다면 그 단어가 자기 마음을 사로잡고 있던 것임을 깨닫게 되기도 한다.

### ○ 자기 성찰

처음 모닝 글쓰기를 하다 보면 글의 주재료는 아무래도 남편, 시어머니, 혹은 눈에 거슬리던 이웃이 되곤 한다. 세 페이지가 뭐란 말인가. 그에 대한 욕을 쓰다 보면 여섯 페이지도 가득 채울 수 있을 지경이다. 그런데 신기하게도 그렇게 신랄하게 욕을 써내려가다 여지없이 이런 생각이 든다. '아니 뭐… 그렇게까지 죽을 죄를 지은 것도 아닌데 내가 너무 심하게 썼네?' 내가 좀 너무했나 싶고, 어째 좀 미안하다는 생각도 스멀스멀 올라온다. 그리고 끝내 시선은 꼭 '나 자신'을 향한다. '네가 괴수 중 괴수로다. 넌 뭐가 다른데?' 이 놀라운 자기 성찰은 신기하게도 꼭 세 번째 페이지 마지막 문단에서 일어난다. (그러니 모닝 글쓰기 하는 여러분, 꼭 3페이지 마지막까지 채워보세요. 어떻게 해서든!)

### ○ 치유와 목표 실현

새벽 운동, 그림 그리기, 미니멀리즘, 인간관계의 맺고 끊음, 미래에 대한 불안과 걱정, 그 어떤 것이든 모닝 글쓰기로 써내려가다 보면 어느새 그것이 눈앞의 현실이 되거나 미련 없이 정리되어 있다. 누군가 "모닝 글쓰기는 10만 원짜리 심리상담보다 더 즉각적으로 내 마음을 치유해줬다."라고 말하기도 했는데 이 말에 깊이 동의한다. 단순히 내가 내 마음을 가만히 들여다보고 그것을 글로 쓴 것뿐인데 그 과정 자체가 '자기 객관화'이자 '바라봄'이었다. 어느 순간 모닝 글쓰기를 통해 내 안의 나에게 말을 건네고 있었다. '수진이 너, 요즘 그것 때문에 마음이 많이 쓰이는구나. 너 지금 일주일 내내 그 단어를 붙잡고 쓰고 있어. 그래서 내가 알아챘어.' 하는 식으로. 모닝 글쓰기는 엉킨 마음의 실타래를 풀어주는, 혹은 가위로 싹둑 잘라주는 내 개인 상담사였다.

### ○ 아이디어 참고

줌 강연, 클럽하우스 토론 주제, 유튜브 콘텐츠 시나리오, 원고 내용, 사업 구상 등 거의 대부분이 놀랍게도 이 모닝 글쓰기 노트에서 나왔다. 모두가 잠든 고요한 새벽의 기운은 밤과 다르다. 허튼 짓을 하며 시간을 낭비하기엔 졸린 눈 비비고 일어난 그 새벽이 너무 귀하다. 그래서일까? 뇌가 엄청난 효율로, 생산적으로 일한다. 모닝 글쓰기 때 쓰게 되는 글 절반 이상은 프로젝트나 콘텐츠, 강연 기획이다. 쓰면 쓸수록 아이디어가 넘쳐나 감당이 안 될 지경이다. 모닝 글쓰기 노트에 그림으로, 도표로, 글로 끄적거린 것들이 하나하나 현실이 되어가는 과정을 보면서 늘 감탄하게 된다. "여러분, 이토록 좋은 것 같이 해요!" 하고 싶은 마음이 솟아난다.

## 육아 자존감, 자신감을 키우는 관찰 일지: "나 육아 꽤 잘하잖아?"

2006년부터 2021년까지, 블로그에 아이들 관찰 일지, 마주 이야기(아이가 내뱉은 말을 기록해두는 글), 아이와 함께 읽은 영어 그림책, 한글 그림책, 아이와 함께 본 영화 이야기를 차곡차곡 적으면서 느낀 가장 큰 위로는, "아, 나 워킹맘이라 애들 잘 못 챙긴다고 생각했는데 그래도 이 정도면 괜찮은데? 오늘도 '이걸' 해냈네. 오늘은 '이런 기쁨'을 누렸네."였다. 글로, 사진으로, 동영상으로 블로그에 박제된 그 작은 성취들은 늘 나에게 "이만하면 훌륭해. 워킹맘 중에 이 정도 할 수 있는 사람은 많지 않아."라는 셀프 칭찬의 근거가 되었다.

인생과 육아의 질을 좌우하는 건 결국 '나(엄마)의 자존감'이다. 자존감은 '자기효능감(난 뭐든 잘해)'과는 달리 내가 잘하는 것과 죽어도 못 하는 것을 스스로 파악하고 강점을 강화하되 단점을 받아들이고 내려놓는 융통성을 발휘하게 해준다. '회복탄력성'도 여기에서 나온다. 안 되는 걸 하겠다고 억지 부리는 것이 아니라 빨리 내려놓고 대안을 찾는 데 집중하고, 그 대안을 삶 속에서 실천하게 하는 것이 회복탄력성이다.

이 자존감과 회복탄력성이 육아와 엄마표 영어에 절대적으로 필요하다. 여러 사안에 대해 아이는 끊임없이 거부 반응을 보이는데, 그때마다 엄마가 좌절하고 화내고 삐친다면 성숙한 솔루션이 나오기 어렵다. 아이들 마주 이야기와 관찰 일지를 쓰다 보면 아이의 거부가 중요한 신호였음을 알게 되고, 다른 방법에 대한 건설적인 고민을 하게 된다. 마주 이야기와 관찰 일지는 아이의 마음을 헤아리고 상태를 파악하는 데도 도움이 되었지만, '엄마인 내가 아이를 위해 한 일'에 대한 기록이었기 때문에 나도 꽤 괜찮은 엄마라는 자신감을 심어주었고 그것이 내 육아에 큰 힘이 되었다.

그래서 많은 엄마들에게 권한다. 내가 아이를 위해 했던 크고 작은 일들, 아주 사소한 것이라도 SNS나 블로그에 '기록'으로 남길 것. (아이의 어록을 받아 적는 행위도 굉장히 의미 있는 일이다.) 내가 꽤 괜찮은 엄마라는 '증거'를 축적할 것. 그러면 더는 육아로 인해 스스로가 없어지는 기분이 들거나 내 에너지가 소진된다는 기분이 들지 않는다. 그렇게 차곡차곡 남겨진 마주 이야기, 아이와 즐겁게 읽었던 그림책, 그때 나눴던 이야기들을 다시 열어 보면 그때 그 순간의 즐거움이 다시 재생되면서 기쁨과 즐거움이 배가 된다.

# 왜
# 엄마표 영어여야 하는가

## 엄마표 영어가 추구하는 것

"저는 엄마표 영어를 조금 쉽게 시작했던 것 같아요. 애가 돌이 되기 전에 새벽달님 책을 읽고 모국어 습득 방식으로 영어를 습득하는 것이 가능하다는 걸 처음 알았고, 그건 제가 갖고 싶은 능력이었죠. 저는 못 하지만 지금 아이에게 시작하면, 내가 마음만 먹으면 할 수 있겠다는 확신이 들었어요. 하지만 사실 아이가 네다섯 살 이전에는 엄마가 해줄 수 있는 게 그렇게 많지는 않잖아요? 영어 동요 들려주고 잠자리에 책 읽어주는 것 말고는. 그래서 7개월때부터 아주 쉬운 영어책만 골라서 읽어주기 시작했어요. 그게 시작이었어요. 영어 영상물은 20개월 되면서부터 보여주기 시작했고요. 저는 주변에 친구도 별로 없고 감 놔라 배 놔라 하는 사람도 없어서 아무런 의심 없이 새벽달님 책이랑 유튜브만 보면서 네 살 이전의 아이에게 제가 해줄 수 있는 정도로만 했어요. 특별히 열심을 다한 건 아니었고요.

그렇게 지내다가 아이가 다섯 살 때 유치원을 보내야 하니까 유치원 알아보고, 영어 유치원 얘기도 듣고, 다른 사람들의 정보가 들어오다 보니 굉장히 고민이 되더라고요. 아이 5세 때는 숲 유치원을 보냈는데 6세가 되니까 또 고민이 됐죠. 저희 아이는 영어 노출을 일찍 시작했기 때문에 크게 영어를 거부하지 않았고, 본인은 태어났을 때부터 영어를 되게 잘했다고 생각하며 재미있어 했던 터라 아이는 별로 힘든 게 없었는데, 엄마인 저 혼자 마음이 복잡했던 거예요. 아이가 다섯 살이던 해 가을 즈음에는 영어를 웬만큼 듣고 읽을 줄 알게 되니까 '내가 뭔가를 더 체계적으로 해줘야 하는 거 아닌가?' 하는 생각에 마음이 조급해지고 고민이 되더라고요.

그러던 차에 4주짜리 새벽달님 줌 강연을 들었는데, 줌 강연에서 만난 '달마고치 분들(달마고치는 새벽달 강연으로 맺어진 엄마표 영어 동지들의 별칭이다. 새벽달이 키우는 다마고치라는 의미)'과 그 자녀들이 먼저 걸어간 엄마표 영어의 길을 미리 보고 듣게 되면서 마음이 많이 편해졌던 거 같아요. 영어뿐만 아니라 모국어 독서, 생활 습관, 정서적으로 건강하게 잘 자라는 다른 집 아이들의 모습을 인스

> 타그램과 밴드를 통해 늘 보게 되니까 1년 정도 지난 지금은 확신이 서고 안심이 돼요.
>
> —보름맘

엄마표 영어란 아이가 0~10세 일 때, 즉 어린이의 뇌 속에 있는 '언어 습득 장치'가 작동하고 있는 골든타임에 아이를 영어 소리에 노출함으로써 아이에게 영어가 모국어처럼 편안하게 자리잡고 발달하도록 도와주는 것이다. 이렇게 5년, 10년 영어 동요, 영어 그림책, 영어 원서, 영어 영상물로 영어 소리를 온몸으로 듣고 자란 아이들은 초등학교 3학년 정도가 되면 『Diary of a Wimpy Kid』 영어 원서 정도도 편안하게 읽을 수 있는데, 이 책의 레벨은 AR 5.2로 미국 초등학교 5학년 2개월이 지난 원어민 아이의 독해력을 요구하는 수준이다. (210쪽 참조)

아이가 넷플릭스의 다큐멘터리나 영어 만화 시리즈, 또는 관심 있는 유튜브 영어 채널의 영어를 편안하게 들을 수 있는 '귀'와 영어 원서를 편안하게 읽을 수 있는 '눈'을 갖추게 되면 우리가 그토록 바라는 '말하고 쓰는' 아웃풋은 생각보다 쉽게 향상시킬 수 있다. 약간의 훈련만으로도 아이는 그럭저럭 자기가 하고 싶은 이야기를 말과 글로 표현할 수 있다. 하지만 언어의 뿌리에 해당되는 듣기와 읽기(문해력, 속독력)는 인풋의 양과 시간이 충분히 채워지지 않으면 일정 수준에 도달할 수 없다. 엄마표 영어를 하는 분들은 이 점을 꼭 명심해주길 바란다. **10세까지는 무조건 인풋, 인풋, 인풋**이다. 그 어떤 강요도 하지 말고 아이가 음원을 통해 원어민이 책 낭독해주는 소리를 듣고 책장을 넘기며 그 이야기 속에 빠지도록 유도하는 게 좋다. 이 청독 훈련의 절대적 시간과 양이 차고 넘치면 아이들은 본능적으로 입을 열거나 쓰는 것으로 본인 의사를 술술 풀어놓게 된다. 그러니 다시 한번 당부한다. 초등학교 3~4학년 전까지는 "소리 내서 읽어봐, 듣고 따라 읽어봐." 하는 식으로 아이를 테스트하고 몰아세우는 조급증과 욕심은 내려놓자. (물론 아이가 자발적으로 낭독을 원하는 경우는 예외다.)

## 엄마표 영어 vs. 영어 학원

영어 유치원과 영어 학원, 특히 저학년을 대상으로 하는 영어 학원에서 쓰는 영어 습득 재료는 대부분 코스북(course book)이라 불리는 학습서인데, 이 코스북을 펼쳐보면 한 과에 불과 8개의 문장, 그것도 같은 패턴이 반복되는 문장이 거의 전부다. 가령, 'There is a book. There are books. There is a pencil. There are pencils.' 이런 식이란 이야기. 일주일 내내 8개의 문장, 그것도 단어 몇개만 대치될 뿐 패턴이 같은 문장을 듣고 따라하는 식인데, 이 얼마나 제한된 양의 영어인가. 이런 코스북으로 6년 내내 수업을 듣는다고 가정해보면 아무리 오래 공부한다고 해도 건질 문장이 많지 않고 아이의 영어는 제자리 걸음일 수밖에 없다.

반면, 가정에서 편안하게 영어 영상물을 보는 경우, 20분짜리 《페파 피그》 에피소드 한 편에는 약 100개의 문장이 담겨 있다. 게다가 이 문장들은 움직이는 화면, 연기력이 풍부한 성우의 목소리 톤, 억양 등 힌트가 풍부해서 아이가 영어를 이해하는 데 큰 어려움이 없다. 자, 40분 동안 8개의 문장을 계속 듣고 따라하는 영어 학원 수업 vs. 20분 동안 재미있게 100개의 영어 문장을 흡수할 수 있는 엄마표 영어 중 어느 쪽을 선택할 것인가? 적어도 인풋이 중요한 0~10세 기간에는 가정에서 OTT 서비스나 인터넷을 이용해 영어 영상물을 노출해주는 후자의 방식을 시도해보는 게 어떨까?

혹시 초등학교 3학년 또래의 원어민 아이가 읽는 200~300페이지에 달하는 영어 원서를 한글 만화책 읽듯 낄낄거리면서 읽는 것을 엄마표 영어의 목표로 두고 있는가? 사실 이처럼 영어가 모국어처럼 편안한 상태가 되려면 유치원 때 알파벳 하나를 두고 음가에 대한 설명을 듣고 따라하는 파닉스 수업으로는 어림없다. 이 목표를 이루기 위해서라면 우리가 상상하는 것보다 훨씬 더 많은 양의 영어 소리(meaningful sound)와 문자(text) 인풋이 있어야 하는데 그것은 오로지 '그림책'과 '영어 영상물'만으로 가능하다.

## 대학 입시와 엄마표 영어

'한국 땅에 살면서 굳이 아이의 영어를 원어민 수준으로 끌어올려야 할 이유가 있을까?' 싶을 수도 있다. 하지만 이는 최근 수능 영어의 지문을 보지 못한 사람이 하는 이야기이지 않을까? 한국의 공교육은 초등학교 3학년부터 영어 수업이 시작되고 초등학교를 졸업할 때까지 공교육 영어 수업이 요구하는 영어 수준은 500여 개의 어휘를 습득하는 것으로 매우 기초적인 수준이다. 중학교 교과서 역시 미국 초등학교 저학년 수준의 평이하고 쉬운 문장들로 구성되어 있다. 그러나 문제는 고등학교 교과서와 수능 영어 지문의 난이도가 갑자기 수직 상승한다는 사실이다.

중학교 영어 교과서의 읽기 난이도가 미국 초등 2~3학년 수준인 '렉사일(Lexile) 지수(미국 MetaMetrics사에서 개발한 영어 리딩 레벨 지수. 210쪽 참조)' 630 정도라면, 고등학교 영어 교과서의 읽기 난이도는 950에서 1100으로 미국 고등학생 수준으로 바뀌고, 심지어 수능 영어 지문의 독해 난이도는 미국 대학원 1~2학년 수준인 1300에서 1800으로 급격히 뛰어오른다. 정리해보자면, 중학교 때는 미국의 초등학교 저학년 수준의 지문으로 영어를 가르치다가 고등학교에 입학하자 갑자기 원어민 고등학생 수준의 독해를 요구하는 셈이다.

고등학교 영어가 이런 독해력을 요구할 거라면 중학교 영어 교과서의 지문 수준은 미국 중학생이 읽는 소설 『The Giver』나 『Holes』 혹은 [해리 포터] 시리즈 정도의 원서여야 하고, 초등학교 영어 교과서 본문에는 『Diary of a Wimpy Kid』 원서 정도의 본문이 실려 있어야 한다. 즉 적어도 '읽기' 만큼은 또래 원어민 수준이어야 한다는 말인데, 애초에 이게 말이 안 되는 이야기다. 초등학교 5학년 영어 교과서와 중학교 2학년 영어 교과서, 고등학교 3학년 수능 영어 지문 사이의 수준 격차를 어떻게 설명할 것인가? 초등·중학교 때 유아 수준의 영어를 가르치던 한국의 공교육은 왜 고등학교 때는 또래 원어민 학생도 풀기 어려운 수능 영어 지문을 고3 아이들에게 내미는 걸까? 왜 가르치지 않은 역량을 학생들에게 요구하는 걸까?

어쨌든 현 고등학교 수능 영어 수준과 영어 교육 커리큘럼은 아이들에게 고3이 되면 미국 대학생 혹은 또래 원어민 아이들 수준의 문해력을 갖추고 있으라고 요구한다. 이 때문에 초등·중학교 수준의 영어 교과서만 믿고 영어를 만만하게 보던 아이들은 고등학교 입학 후 당황할 수밖에 없다. 그러니 뒤늦게 당황하고 좌절하지 않도록, 적어도 영어 듣기와 읽기는 편하게 할 수 있도록 듣기와 읽기에 초점을 맞춰 영어 내공을 쌓도록 도와줘야 한다. 영어 귀가 뚫리고 영어 원서를 편안하게 읽는 수준이 되면 고3이 됐을 때 영어에 힘쓰지 않아도 수월하게 수능 영어 1등급을 얻을 수 있다. 뿐만 아니라 심 봉사가 눈을 뜨듯 인터넷상의 영어로 게시된 수많은 정보도 찾아보고 이해할 수 있게 된다.

엄마표 영어로 어렸을 때부터 영어 그림책과 영어 영상물이라는 '콘텐츠'를 통해 영어를 접한 아이들에게 영어는 더 이상 학교에서 배우는 교과목 중 한 과목이 아니라 제2의 국어다. 아이에게 영어가 들리는 귀, 영어 원서를 편안하게 읽을 수 있는 눈(독해력)을 자산으로 남겨주는 건 어떨까?

## AI가 번역하는 세상이 오는데 왜 힘들게 영어 공부해요?

"엄마표 영어 한다고 퇴근하고 지친 몸으로 애쓰면서 아이한테 영어 환경을 만들어주는데 남편이 계속 초를 쳐요. AI가 번역하는 시대가 오는데 왜 그렇게 힘들게 영어 환경을 만드느냐며 절 바보 취급해요."

이것은 한 엄마의 하소연이었는데 과연 그럴까? 번역기가 있는데 영어 공부하는 게 어리석은가? 아니면 번역기를 핑계삼아 영어 공부를 제쳐두는 게 어리석은가? 번역기가 있는데 왜 영어 공부를 하느냐는 말은 마치, "계산기가 있는데 왜 사칙연산을 배우고 연습해요?" 혹은 "케이블카를 두고 왜 힘들게 등산을 하죠?" "엘리베이터가 있는데 왜 30층까지 계단을 걸어 올라가요?" 하는 것과 같다.

사칙연산은 우리 뇌를 수학적 사고로 연결시켜주는 기초체력과 같고 등산과 계단 오르기는 내 심신의 건강을 키운다. 등산할 때 경험하는 자연, 산과 계단을 오를 때의 신체 반응, 빨라지는 심장 박동, 배에 힘을 주고 한 걸음 한 걸음 올라감으로써 단단해지는 복근, 이마에 송골송골 맺힌 땀, 스트레칭을 하듯 팔을 크게 휘두르며 태우는 옆구리살. 근육과 몸의 모든 움직임을 느끼며 체력을 강화하는 행위다. 힘든 만큼 얻는 게 많다. 심지어 두뇌까지 발달한다니 일석삼조다.

언어는 사람과 사람이 교감하는 데 사용하는 중요한 도구다. 그 도구가 무디면 소통이 어설퍼지고 어색해진다. 실시간 번역이 필요한 경우에 무디다는 말은 번역의 '정확성'뿐만 아니라 '속도'도 포함한 의미다. 내가 영어가 안 돼서 외국에서 온 손님과 번역기 앱을 통해 의사소통을 한다고 가정해보자. 내가 말하고, 그 말이 번역기를 거쳐 상대에게 전달될 때까지 시간 차가 발생할 수밖에 없다. 기술의 발달로 그 차이가 아무리 좁혀진다고 해도 인간은 단 0.1초의 공백으로도 대화의 흐름이 깨지는 불편함을 감지한다. 실제로 대화해보면 0.1초의 시간 차도 견디기 힘들다. 순차통역으로 혹은 동시통역으로 진행되는 회의에 직접 참석해보면 그 사실을 피부로 느낄 수 있다. 제아무리 통역을 기막히게 잘해도 순차통역은 미팅 시간을 두 배로 늘리고, 동시통역은 정신없어서 듣고 있자면 피로도가 상당하다. 업무나 회의가 통역으로 어떻게든 잘 끝날 수는 있겠지만 적어도 그 상대 원어민과 친구가 되기는 힘들다.

즉 AI 가 제아무리 발달한다고 해도, 무빙워크 기술이 제아무리 발달한다고 해도 나는 영어 공부를 할 것이고 걷기를 선택할 것이다. 영어 공부, 훈련을 하는 과정이 주는 기쁨과 성취감, 내 입과 귀에 착 붙어버린 영어가 주는 힘을 알아버렸기 때문이다.

## 엄마표 영어의 유효 기간은 0~10세

앞에서도 언급했지만 엄마표 영어는 생각보다 유통기한이 짧다. 엄격하게 보면 10세, 조금 여유를 두면 초등학교 6학년까지로 볼 수 있다. 그것도 부모 자식의 관계가 상당히 좋은 경우에 한해서 초등학교 6학년까지 엄마표 영어가 가능하다고 볼 수 있다. 현실적으로 보면 다음의 2단계로 나뉜다.

① 엄마가 애써서 아이에게 '좋은 습관'을 만들어주는 엄마표

상반기 10년 : 0세~10세

② 엄마는 아이 뒤로 물러서서 기다리고 지켜봐주는 하반기 10년 : 10세~20세

이를 조금 더 구체적으로 4단계로 나누면 아래와 같다.

| 1단계 : 유아기 (0~7세) | 2단계 : 초등생 (6~13세) | 3단계 : 중등생 (14~16세) | 4단계 : 고등생 (17~19세) |
|---|---|---|---|
| •엄마표 영어 성공기<br>•엄마만 열심히 하면 성공률 높음 | •엄마표 영어 쓴맛을 보는 시기<br>•엄마표에서 아이표로의 전환기, 실패율 높음 | •아이표 or 학원표<br>•엄마표 영어 불가능 | •아이표 or 학원표<br>•엄마표 영어 불가능 |

1, 2단계 아이들, 그러니까 적어도 10세 이전의 아이들은 엄마표 영어가 가능하며, 또 엄마표만이 유일한 답이다. 나는 그렇게 생각한다. 이 시기 아이들에게 학원을 추천하지 않는 까닭은 거듭 이야기하지만 주 2~3회 학원에서 한두 시간 공부한다고 영어가 '내 것'이 되지 않기 때문이다. 무엇보다 이 시기는 학원에 가기에는 몹시 어린 나이이고, 낯선 언어인 영어 소리를 많이 듣고 축적하는 것이 가장 좋을 때다. 쉬운 영어 그림책, 리더스북을 하루 세 권 소리 내어 읽기, 재미있는 영어 DVD 하루 한 편 시청하기가 학원 수업 한 시간보다 의미 있다. 그렇게 익힌 영어는 내

가 입으로 낭독하고 내 눈과 귀로 시청해서 '내 것'이 된 영어다. ("우리 애는 학원도 다니고 집에서도 영어 소리 축적하는데요?" 하는 엄마라면 계속 그렇게 쭉 하시면 됩니다.) 태어날 때부터 '거부 DNA'를 가진 우리 집 2호 같은 애들은 세 살 때도 일곱 살 때도 한결같이 나를 진 빠지게 했지만 대부분 이 시기의 꼬맹이들은 엄마가 요령껏 설득하고 끌어주면 어느 정도 따라온다. 아이가 엄마 뜻대로 따라오지 않으면 힘들지만 그래도 포기하면 안 된다. 1, 2단계는 엄마가 뚝심을 가지고 흔들림 없이 영어 소리 환경을 만들어줘야 하는 시기라는 것을 꼭 기억하자. 1, 2단계가 단단하게 구축되었다면 3, 4단계에서는 '영어를 가지고 노는 아이표 영어'가 가능하다.

다시 한번 강조하지만 내가 이 책을 쓰는 목적은 엄마 독자들이 엄마표 영어 상반기 10년을 성공적으로 채울 수 있도록 돕기 위해서다. 이 책이 초등학교 이전, 길게 보면 10세 이전 엄마표 영어를 하기 위한 친절한 안내서 역할을 했으면 좋겠다. 두 아들을 엄마표 영어로 키운 20년의 좌충우돌 경험담이 엄마들의 갈증을 조금이나마 해소해주었으면 하는 바람이다. 그리고 엄마표 영어 10년 안에 끝내고 손 털기. 그다음 아이가 중·고등학생이 되었을 때는 '엄마 인생을 되찾는' 짜릿한 열매를 함께 이루기를 바란다.

## 모국어의 중요성

### ○ 모국어와 영어, 아이가 혼란스러워하지 않을까요?

아이 0~만 3세에 엄마표 영어를 실천하는 엄마들의 가장 큰 불안은 아마도 "모국어도 잘 못 하는 아이에게 영어 소리를 들려주면 모국어인 한국어 발달에 방해가 되지 않을까?"일 것이다. 믿기지 않겠지만 아이들은 언어를 습득하는 데 천재적인 능력을 가지고 있고 두 언어를 혼동하지 않는다. 두 언어 모두 잘 알아듣고, 심지어 발화가 빠른 아이일 경우 두 언어를 적재적소에 잘 꺼내 쓰기도 한다. 그리고 모국어 완성 전에 영어 소리를 노출하면 한국어 발달에 방해가 된다는 말도 논리가 빈약하다. 왜냐하면 두 언어의 인풋 양을 비교해볼 때 한국어의 인풋 양이 압도적으로 많기 때문이다. 아이는 집에서부터 어린이집, 유치원, 놀이터 등에 이르기까지 어디에서든 거의 한국어로만 상호작용한다. 따라서 소량의 영어 소리 노출이 한국어 발달을 방해할 일은 없다. 어쩌면 영어 한마디 들려준 적 없이 모국어만 듣고 자란 아이들 중에 말이 늦된 아이를 찾기가 더 쉽지 않을까?

우리 집 아이들은 한국어, 중국어, 영어 세 가지 언어를 들으면서 자랐지만 두 아이 모두 세 언어를 혼동하거나 크게 거부하지 않았다. 내가 한국어, 영어, 중국어 중 어느 언어로 말하든 다 잘 알아듣고 몸짓, 손짓으로 즉각적인 반응을 보였고, 언제나 우세

한 언어는 모국어인 한국어였다. 또래보다 말이 약간 느렸던 1호에게 삼중어 환경을 만들어주면서도 내가 흔들리지 않을 수 있었던 이유는 아이가 내뱉는 말, '아웃풋'보다 아이가 이해하는 말, '인풋'과 말이 쌓이는 정도를 가리키는 '인테이크(intake)'에 초점을 맞춰 아이를 관찰했기 때문이다.

만약 모국어 형성을 위해 모국어가 자리잡을 때까지 영어 소리 노출을 지양한다면? 모국어가 완성되고, 모국어로 못 하는 말이 없어지는 5~7세가 된 뒤에 모국어만큼 영어에 익숙해지라는 건 아이 입장에서는 청천벽력이 따로 없다. 이 같은 경우 아이가 영어 소리에 '지속적으로' 노출되기 위해서는 엄마도 아이도 상당한 노력이 필요하다. 엄마 입장에서는 지난하고 지능적인 밀당에 더해 기다림의 인내도 필요하다. 학습적인 접근이 불가피하고 아이의 영어 습득 속도 역시 생각보다 더딜 텐데 그것이 아이 탓이 아님을, 지금껏 제공한 영어 인풋의 양이 부족하기 때문임을 수시로 인지해야 한다. 습득이 더딘 아이에게 짜증낼 것이 아니라 '늦게 시작해서 네가 고생이 많다.' 하며 안쓰러워해야 한다.

## 유아기의 지나친 영어 몰입이 모국어와 사고력 발달에 미치는 영향

1호가 다섯 살 때 일주일에 한 번씩 만나서 영어로 노는 이중어 모임이 있었다. 대부분 5~7세 아이들이었고 열대여섯 명이 모이는 규모가 조금 큰 모임이었다. 아이들은 스토리텔링 연습도 하고 보드게임도 하고 노래와 율동으로 땀나게 뛰기도 하고 놀이터에서 놀기도 했다. 아이들이 실컷 뛰어노는 동안에 엄마들은 담소를 나누며 정보를 교환했다. 특이한 점은 아이들이나 엄마들 모두 영어를 써야 했다는 점이다. 지금 생각해보면 신기한 모임이었다. 아이들의 경우 원어민처럼 영어를 유창하게 하는 아이들도 있었지만 절반 이상이 우리 집 1호처럼 영어를 알아듣기는 해도 대답은 기어코 한국어로 했다. 그러니까 '영어 귀가 뚫렸지만 영어로 말은 잘하지 못하는 아이들'과 '영어로 유창하게 말할 수 있는 아이들'이 섞여 '영어로만 소통하고 노는 모임'이었다.

아이들 중 유독 눈에 띄는 아이가 있었다. 종일 한국어를 한마디도 안 하고 영어로만 말하던 다섯 살짜리 여자아이였는데 누가 봐도 미국에 사는 아이처럼 영어를 잘했다. 신기해서 또래 아이들과 노는 모습을 몇 주간 지켜봤는데 그 집은 특이하게도 엄마 아빠 모두 한국어를 쓰지 않고 영어로만 소통했다. (이중어 환경을 만드는 대부분의 가정이 전략적으로 부부 중 한 명은 영어, 나머지 한 명은 한국어를 쓴다.) 집에서도 철저하게 'No Korean!'을 고수한다는 말에 놀랐다. 한편으로 도대체 왜? 싶었다. 아이가 어릴 때 아이를 영어 바다에 빠뜨리고 싶었던 걸까?

몇 주간 그 아이를 관찰하면서 놀라운 사실을 발견했는데 그 아이는 또래 친구들과 소통이 거의 안 되고 있다는 점이었다. 우선 한국어를 거의 못 하거나 어눌하게 하는 터라 한국어로 소통하기는 불가능했고, 그보다 진짜 놀라운 건 영어로 소통하는 데도 대화가 겉돌고 있다는 점이었다. 아이들은 보통 처음 보는 아이라도 놀이터에서 잠깐 노는 것만으로도 친구가 되는 친화력을 갖고 있는데 그 여자아이는 오랜 시간 이 모임을 하면서도 친구를 만들지 못했다. 그 아이를 안타깝게 지켜보면서 밖에서든 가정에서든 철저하게 모국어가 차단된 상태에서 종일 영어 자극만 받는 경우, 그것이 아이의 모국어, 인지사고력, 사회성 발달에 부정적인 영향을 미칠 수 있겠다는 생각이 들었다. 그 순간 정신이 번쩍 들었다. 이때부터 내 엄마표 영어 방식을 대폭 수정해서 한글 그림책을 읽어주는 양을 확 늘렸다. 정말 중요한 시기에 중요한 교훈을 얻은 것이다.

사실 이런 경우는 매우 특이한 사례다. 그 아이의 집과 같은 이중어 환경을 형성하려면 우선 부모가 둘 다 영어를 원어민처럼 구사할 줄 알아야 하고, 부부가 합심하여 모국어를 전혀 쓰지 않으면서 영어로만 대화할 수 있는 연기력이 있어야 한다. 하지만 부모 중 한 명이라도 원어민처럼 영어에 능통한 경우는 극히 드물기 때문에 이런 걱정은 할 필요 없겠다. 다만 과도한 영어 몰입이 모국어 퇴보에서 그치지 않고 아이의 인지사고력에까지 영향을 미칠 수 있다는 사실은 기억해둘 필요가 있다.

## 미국의 이중어 교육에 힌트가 있다

이중어 환경, 즉 두 가지 다른 언어를 동시에 접하면서 습득하는 환경에 대한 논란은 미국에서도 있었다. '이중어 환경'이라는 말이 한국에서는 일종의 부와 능력의 상징이라면, 미국에서는 가난과 차별의 상징에 가깝다. 이중어를 쓰는 가정은 주로 라틴아메리카나 타 지역에서 온 이민자 가정으로, 히스패닉(Hispanic)이라고 불리는 라틴아메리카 이주민은 대부분 먹고살기 위해 궂은 일을 한다. 히스패닉 부모의 많은 수가 밤낮으로 일하고 돈을 버느라 여유가 없기 때문에 그 자녀들은 방치되는 경우가 많다. 실제로 대부분의 자퇴 학생이 이주민 자녀다. 영어를 전혀 못하는 부모와 학교에서 생존하기 위해 필사적으로 영어를 배워야 하는 아이들은 갑자기 눈앞에 펼쳐진 영어의 바닷속에서 방황할 수밖에 없다. 미국의 이중어 교육은 바로 이 아이들을 돕기 위해 인도주의적 차원에서 시작된 것이다. 이민자 자녀들이 영어로 말하고 쓸 수 있도록 함으로써 정상적으로 학교 생활을 하도록 돕고, 자퇴를 막기 위해서 시작된 운동이다.

한편 이러한 사회적인 배경 때문에 과거에 미국 사회에는 이중어에 대한 편견이 있었다. 1960년대만 하더라도 이중어 환경은 아동의 지적 성장을 저해하는 장애 요소로 여겨졌다. 두 언어를 동시에 접하고 익히는 데 너무 많은 에너지가 소모되기 때문에 유아기 언어 발달을 방해하고 늦춘다는 논리였다. 가정에서 이중어를 쓰는 아이들과 영어를 모국어로 쓰는 아이들에게 그림카드를 보여주고 해당 영어 단어에 대한 반응 속도를 측정하는 실험에서 이중어를 쓰는 아이들이 영어를 모국어로 쓰는 아이들에 비해 반응 속도가 느리다는 결과가 나온 것이다. 이를테면 '사과'를 'apple'로 전환하는 데 약간의 긴장과 집중이 필요하기 때문에 반응 속도가 느린 것이었다. 과거에는 이런 긴장과 에너지 소모를 두고 언어 발달을 방해하는 요소라고 해석했지만 최근 연구 결과들은 완전히 다른 분석을 내놓고 있다. 이러한 긴장과 집중이 오히려 뇌의 특정 부분, '배외측전전두피질(Dorsolateral prefrontal cortex)'을 강화한다는 사실을 밝혀낸 것이다. 이 부분이 관장하는 능력은 크게 네 가지로, '문제 해결력, 문제 전환 능력, 집중력, 필요한 정보를 필터링하는 능력'이다.

이러한 연구 결과는 이중어에 대한 인식의 변화를 가져왔고 다양한 방식의 시도를 가능하게 했다. 그리고 '열악한 환경에 방치된 이민자 가정 아이들이 효과적으로 영어를 익혀 공교육을 따라갈 수 있도록 어떻게 도와줄 것인가?'가 미국 이중어 교육의 핵심 문제로 떠오르게 되었다. 이 문제를 해결하기 위한 방법은 두 가지로 추려진다. 하나는 '엄마표 영어를 가정에서 실천하는 것'이고, 다른 하나는 '모국어의 중요성을 인식하는 것'이다. 미국 이중어 교육이 시행착오를 거쳐 도달하게 된 이 결론을 통해 한국의 엄마표 영어가 나아갈 방향을 잡을 수 있다.

첫 번째로 미국 교육 현장에서 진행되고 있는 엄마표 영어의 실례를 소개해본다. 미국 초등학생의 읽기 능력 성적은 다른 OECD 국가들에 비해 상대적으로 낮은 편인데 미국 교육계는 이것이 이민자 가정 아이들의 읽기 능력 부진과 학업 성적 부진 혹은 자퇴와 관련이 있다고 판단했다. 때문에 미국 정부는 전국적으로 '헤드 스타트(Head Start)'라는 프로그램을 도입해 전국 초등학교에서 입학 전 아이들을 대상으로 엄마표 영어 실천을 장려하고 있다. 이는 영국의 독서 육아 프로그램인 '북스타트'와 비슷한 것인데, 여기에 영양, 의료 보조 등이 추가된 형태다.

미국 초등학교에서 교생 실습을 할 당시 이 프로그램을 직접 관찰할 기회가 있었는데 그때 굉장히 놀랐다. 내가 우리 아이들에게 했던, 바로 그 엄마표 영어였기 때문이다. 초등학교 입학 전의 3~6세 아이들이 둥글게 모여 앉아 노래를 부르면서 공을 주고받고 까르르 웃고 노는 것. 부스럭거리는 비닐을 릴레이로 전달하면서 소리를 듣게 하고, 다양한 핑거 플레이(finger play)와 챈트를 통해 온몸으로 음악 자극과 언어 자극을 주는 것. 그리고 언제나 수업의 마무리는 라임이 아름답게 반복되는 영어 그림책을 읽어주는 것으로 끝난다. 이 수업은 어떻게 보면 엄마, 곧 양육자를 교육하기 위한 수업이기도 하다. 아이와 어떻게 상호작용하는지, 어떤 언어 자극, 신체 자극을 주면서 놀아줘야 하는지를 온몸으로 가르쳐준다. 다만 50분이란 짧은 시간동안 배운 것을 집에 가서 날마다 실천해야 의미가 있는 프로그램이다.

혹자는 1965년부터 시작한 헤드 스타트는 이미 실패했다고 말하기도 한다. 우선 이 캠페인이 성공하려면 행위의 주체인 부모, 즉 양육자가 의지를 갖고 가정에서 날마다 실천해야 하는데 그렇게 부지런하게 실천하는 부모는 극히 드물기 때문이다. 더구나 먹고살기 바쁜 맞벌이 이민자 부모라면 상황은 더욱 나쁘다. 하지만 이런 프로그램 존재 자체가 취학 전 아동 교육에 중요한 것이 무엇인지를 잘 말해주고 있다. 바로 '가정에서의 교육 환경'이다. 이 시기에 양육자를 통해 다양한 언어 자극과 정서적 기쁨을 경험하고 책에 맛을 들인 아이들은 자신감을 가지고 학교생활에 적응하고 배움을 즐길 수 있다.

두 번째로 모국어의 중요성에 대해 눈여겨볼 수 있다. 최근 들어 미국의 교육자들이 관심을 기울이는 것이 바로 모국어의 힘이다. 모국어가 튼튼한 이민자 아이들이 상대적으로 학습 능력이 뛰어나고 영어 학습 속도가 빠르다는 사실을 많은 연구를 통해 알게 된 것이다. 헤드 스타트나 엄마표 영어가 아무리 좋다고 해도 집에서 유창한 영어로 아이에게 영어 그림책을 읽어줄 수 있는 히스패닉 부모는 현실적으로 많지 않다. 헤드 스타트 프로그램이 그다지 큰 효과를 거두지 못한다면 '차라리 부모가 편하게 읽어줄 수 있는 스페인어 책이라도 아이에게 읽어주는 것은 어떨까?'라는 발상의 전환이 시작된 것이다. 집에서 스페인어 책을 많이 읽고 모국어가 튼튼하게 형성된 학생들은 영어 학습 능력도 뛰어나다는 사례를 쉽게 찾아볼 수 있다. 물론 이마저도 하지 않는 부모도 많지만 '모국어가 튼튼해야 영어도 쉽게 배운다.' 라는 발상은 확실히 미국에서 뜨거운 반향을 일으키고 있다.

## 모국어가 탄탄한 아이라면 영어는 게임 끝!

모국어 독서량이 많은 학생들의 경우 뒤늦게 영어를 시작했어도 무서운 속도로 영어를 학습하고 응용하는 사례는 의외로 주변에서 쉽게 찾을 수 있다. 한 예로 내가 미국 유학시절에 만난 두 자매 이야기를 소개해본다.

이 자매가 미국에 왔을 때, 첫째는 중학교 1학년, 둘째는 초등학교 4학년이었다. 두 아이 모두 어릴 때 영어를 거의 접하지 못

했고, 미국에 가야 할 때가 되어 서둘러 공부했다고 했다. 태어날 때부터 영어 환경을 만들어준 덕분에 아이들이 이미 영어를 자유롭게 할 줄 아는 상태로 미국에 온 나로서는 이 친구들의 상황이 참 위험한 모험이라고만 생각했다.

알고보니 이 자매의 엄마는 초등학교 교사였고 자신만의 교육 철학이 분명한 사람이었다. 두 딸을 위해 일부러 산간벽지에 있는 시골 마을로 이사를 갔고, 그곳에서만 누릴 수 있는 것들을 누리며 살았다. 두 자매는 시골 학교에서 해금도 켜고 사물놀이도 하고, 들로 산으로 뛰어다니며 자유롭고 행복한 어린 시절을 보냈다. 그랬던 아이들이 엄마 공부 때문에 갑자기 미국에서 살게 된 상황이었다. 힘들고 당황스러웠을 텐데 놀랍게도 아이들은 훌륭하게 미국 생활에 적응했고 1년 후에는 학교에서 우등상을 탈 만큼 학업적으로도 두각을 나타냈다. 영어가 서툰 두 소녀가 어떻게 빠른 시간 안에 언어적 한계를 극복하고 미국 학교에 적응할 수 있었는지 미스터리였다.

그런데 이 자매의 엄마, 대단한 엄마였다. 아이들에게 영어 환경만 안 만들어줬을 뿐이지 아이들 교육에 아주 세밀하게 신경 쓰고 치밀하게 실천해온 '15년 육아 인생'이 있었다. 아이들은 7세부터 15세까지, 7~8년을 매주 토요일마다 숲속에서 진행되는 글쓰기 수업을 들어왔다고 했다. 그 덕분에 두 아이는 7년 동안 주말마다 자기 생각을 다듬고 글로 쓰고 발표하며 쌓은 내공이 깊었다. 미국에 와서도 이 '생각 다듬기-글쓰기-발표하기' 훈련은 끊임없이 이어졌다. 심지어 한 달 동안 미국 서부와 동부를 여행하는 동안에도 날마다 빠짐없이 여행 일기를 쓰고 저녁마다 프레젠테이션을 했다고 하니 말 다했다.

이 가족은 다른 것으로도 아주 유명했는데, 학교가 끝나면 부부와 두 딸이 곧장 도서관에 집결해서 도서관이 문 닫을 때까지 각자 책을 읽고 공부하며 시간을 보냈다는 점이다. 도서관에 가면 거의 늘 이 가족을 만날 수 있었다. 이런 모습이 수많은 유학생 엄마들에게 귀감이 되었지만 이를 따라할 수 있는 집은 많지 않았다. 나만 해도 아이들 피아노 레슨과 연습 때문에 수십 킬로미터 떨어진 음악대학을 오가야 할 때가 많았고, 축구, 농구, 아이스하키 수업으로 스케줄이 꽉 찬 터라 평일에 여유 있게 도서관에서 시간을 보내는 건 꿈도 못 꿨다. 그나마 주말 이틀, 도시락을 싸 들고 아이들과 도서관에 가서 종일 머무는 게 전부였을 뿐이다.

글은 생각을 더 날카롭게 만드는 힘이 있는데, 그 집 아이들은 머릿속 생각을 글과 말로 표현하는 일이 몸에 배어 있었기 때문에 또래 아이들보다 사고력도 깊었다. 하다못해 SNS에 잡담처럼 쓴 글에도 각자의 철학적·문학적 감성이 고스란히 묻어났다. 이런 아이들은 생각을 영어로 전환하는 법만 가르쳐주면 그다음부터는 청산유수다. 영어, 중국어, 그 어떤 언어든 빠르고 효율적으로 받아들인다. 모든 언어는 연결되어 있고, 모국어는 든든한 뿌리 언어이기 때문이다. 무엇보다 책 읽는 맛을 알고 모국어 독서량이 많은 아이들의 가장 큰 강점은 두꺼운 영어 소설을 두려워하지 않는다는 데 있다. 이 자매가 처음 도서관에서 읽던 책은 영어로 된 만화였는데, 어느 순간 두꺼운 원서를 들고 편안하게 읽는 모습을 보고 깜짝 놀랐던 기억이 있다. 아이들의 성장은 눈부시고 예상보다 빠르다.

모국어 독해력이 좋고 속독이 가능한 아이들이 영어를 만났을 때 엄청난 잠재력을 발휘하는 모습을 자주 볼 수 있다. 아이가 스스로 영어 소설에 빠졌다면 그것으로 게임은 끝이다. 만약 엄마가 영어에 자신이 없고 아이도 영어를 어려워한다면 과감하게 방향을 틀어 모국어에 집중하는 것도 좋다. 아이가 차고 넘치도록 한국어로 쓰인 책, 신문을 읽고, 그 내용을 정리하고 말과 글로 표현할 수 있도록 이끌어보자. 아이의 모국어 실력이 향상되면 영어 공부도 쉬워질 것이다. 결국 영어도 언어이고 모든 언어는 생각을 전달하는 역할을 한다. 모국어가 강하면 영어도 강하다.

# 엄마표 영어 시작,
# 왜 어려울까?

엄마표 영어를 해야 할 이유보다 하기 어려운(싫은) 이유를 찾기 쉬울 것이다. 그렇다. 우리는 엄마표 영어를 하는 방법을 몰라서 '못' 하는 게 아니라, 하기 싫어서 '안' 하는 것일지도 모른다. 하기 싫은 이유는 많다.

**— 내가 영어를 못 하는데 어떻게 엄마표 영어를 해?**

**— 영어 못 하는 내가 어설프게 하다 애 영어 망쳐.**

**— 엄마가 전문가도 아닌데 왠 엄마표 영어? 그냥 전문가한테 맡겨.**

**— 영어 영상물 노출한다고 영어가 되겠어? (의심)**

**— 엄마표 영어, 시작도 하지 마. 실패하는 사람이 훨씬 많아.**

— 애 앞에서 우스워지기 싫어서 엄마표 영어 안 해요.

## 엄마표 영어를 오해하는 경우

다시 한번 말하지만 엄마표 영어는 엄마에게 영어 교사가 되라는 것이 아니다. 엄마의 역할은 그저 아이에게 '영어 소리가 노출되는 틀'만 만들어주고 한 발짝 물러서서 아이의 반응을 관찰하는 것이다. 잠자리 독서를 할 때 한글책만이 아니라 한 줄짜리 영어 그림책을 함께 읽어주거나 '세이펜(원어민이 교재를 읽어주는 학습 기기)'을 활용하거나 혹은 영어 음원을 들려주면서 영어가 모국어처럼 스며들게 하는 루틴 만들기다. 이 루틴만으로 충분한 것이 엄마표 영어다. 아이의 뇌는 스토리를 통해, 콘텐츠를 통해 영어를 받아들인다. 따라서 엄마가 영어를 못 하기 때문에, 엄마가 영어를 가르칠 능력이 안 돼서, 엄마 발음이 원어민 같지 않아서 아이의 영어가 자랄 수 없다는 말은 엄마 능력에 대한 과대망상이다. 아이는 엄마의 제한된 영어에 영향을 받기보다 '까이유' 엄마가 내뱉는 영어에 훨씬 큰 영향을 받고 무럭무럭 잘 자란다. 아이의 영어를 쑥쑥 자라게 하는 데는 영어 영상물과 영어 그림책으로 충분하다.

## 영어 전문가? 아이에게는 엄마가 전문가

아이의 영어는 전문가에게 맡기라는 말도 아동 심리나 발달을 이해하지 못한 사람들의 주장이다. 7세 이전의 아이가 영어를 습득할 때 필요한 건 전문가보다 '놀이'다. 따라서 그만 읽고 싶을 때 책을 덮을 권리, 그만 보고 싶을 때 영상을 끌 권리가 존중되는 '가정'보다 더 편안하게 영어가 축적되고 쌓일 수 있는 공간은 없다. 물론 엄마가 영어 유치원 선생님보다 더 지독하게 진도를 빼고 공부시키는 경우는 예외이지만, 무엇보다 아이들은 저마다 다른 성격, 성향을 가지고 있다. 내 아이가 어떤 책, 어떤 영상을 좋아하는지, 어떤 이야기에 흥미를 가지는지, 집중력이 높은지 아닌지 등을 가장 잘 알 수 있는 사람은 영어 전문가가 아니라 엄마다. 내 아이는 《까이유》보다 《옥토넛》을 더 좋아할 수 있고, 스토리가 있는 영어 그림책보다 같은 리듬과 라임이 반복되는 노래 같은 그림책을 더 좋아할 수 있다. 좋아하는 영상물을 수십 번 수백 번 반복해서 보는 걸 좋아할 수도 있고 끊임없이 새로운 영상물을 바꿔가면서 시청하는 걸 좋아할 수도 있다. 결국 아이의 성향에 맞춰 영어 환경 재료를 고르고 노출하는 '일대일 맞춤형 환경'은 가정에서만 만들 수 있고, 영어 전문가가 아니라 엄마만이 할 수 있다.

## 의심을 버리고 아이의 뇌(귀)를 믿으세요

누군가 "영어 영상물을 보고 듣게 한다고 영어가 되겠어?"라고 묻는다면 이렇게 되묻고 싶다. 영어 영상물조차 노출하지 않는다면 무슨 수로 아이의 영어 귀를 뚫리게 하고 영어가 축적되도록 할 수 있을까? 엄마표 영어를 시작하는 데 있어 또 다른 장애물은 "알아듣는 거야? 이해하는 거야?"라는 끊임없는 의심이다. 거듭 말하지만 이해가 안 되면 재미가 없고, 재미없는데 영상물을 30분 이상 보는 척할 아이는 없다. 만약 아이가 영어 영상물 에피소드 하나가 끝날 때까지 몰입해서 봤다면 그 영상물이 이해할 만하고, 거기에서 재미있는 요소를 발견한 것이다. 그 재미 요소가 아이의 호기심을 자극하고, 아직 다 이해하지 못해 느끼는 모호함을 견디게 한다. 결국 아이는 끝내 귀가 뚫릴 때까지 반복해서 그 영상물을 보려고 할 것이다. 성인인 내 귀에 안 들린다고 아이의 뇌도 못 받아들일 거라고 단정하지 말고, 화면에 고정된 아이의 시선과 그 시선이 머무는 시간을 관찰하자. 그것이 가장 정확한 피드백이다. 조급한 마음에 "무슨 뜻이야? 이해됐어?" 하고 확인하고 싶겠지만 엄마가 그렇게 묻는 순간 아이들은 "몰라!"라고 대답할 공산이 크다. 알아듣고 이해한 것과 그것을 한국어로 조리 있게 표현하거나 설명하는 능력은 또 다르기 때문이다. 7세 아이는 설령 영화 《어벤져스》를 무자막으로 거의 다 이해했다고 해도 그 줄거리나 자신의 느낌을 한국어로 표현하기는 아직 어설프다. 때문에 아이의 "몰라!"를 곧이곧대로 믿고 아이가 콘텐츠의 내용을 전혀 이해하지 못했다고 단정해서는 안 된다. 애초에 확인 차 묻는 것부터 금지. 아이가 엉덩이 붙이고 앉아서 몰입한 것만으로 '볼 만했구나. 대충 이해가 됐구나.' 하며 믿고 흐뭇해할 것.

엄마표 영어의 성공과 실패의 기준을 '아웃풋'으로 잡는다면 성공보다 실패하는 경우가 훨씬 많다. 거듭 강조하지만 정작 중요하고도 정복하기 어려운 영역은 '인풋', 듣기와 읽기다. 이것이 눈에 보이지 않는 나무의 뿌리이고 수면 아래의 빙산 덩어리다. 10세 이전의 어린이의 귀는 놀랍도록 유연해서 엄마가 아웃풋에 대한 집착만 내려놓는다면 편안하게 듣기와 읽기를 마스터할 수 있다.

## 엄마가 내키지 않으면 하지 않는 게 나아요

'밥하고 살림하고 애 챙기는 것도 힘들어 죽겠는데, 영어까지 하라고? 출퇴근 시간마저 애 영어 그림책 음원을 들어야 해? 내 인생은 어디 있냐고!'라는 생각, 들 수 있다. 충분히 이해한다. 다만 오해는 말아주시길. 엄마표 영어는 '희생'이 아니다. '영어만큼은 아이의 자산으로 만들어주고 싶다.'라는 마음이 기꺼이 드는 게 아니라면 하지 않기를 권한다. 내가 아이의 영어를 위해서 시간내는 것이 억울하고 화가 난다면 차라리 '나만을 위한 시간'을 갖는 것이 좋다. 출근 길에 내가 좋아하는 장르의 음악을 듣거나, 빠른 '육퇴(육아 퇴근)' 후 내가 좋아하는 영화를 보는 편이 낫다. 아이는 중요하지만 때로는 아이보다 내 마음 상태를 챙기는 것이 먼저다.

엄마가 비록 영어 울렁증이 있지만 아이에게 영어 환경을 만들어주는 김에 자신도 영어와 친해지면서 영어 실력도 키우고 싶다면 엄마표 영어를 적극 추천한다. 그러나 오로지 '아이를 위한 희생'이란 생각에 억울한 마음이 들면 그 영어 공부는 바로 멈추는 것이 좋다.

엄마의 마음이 편안해야 한다. 기꺼워야 한다. 엄마표 영어가 납득이 되고, '어머, 당장 해야겠어!'라는 마음이 생기지 않는다면 섣부르게 시작하지 않기를 권한다. 그래도 모국어 그림책만큼은 꾸준히 읽어주시길. 잠자리 독서 혹은 잠자리 대화는 아이와 엄마를 연결해주는 중요한 활동이기 때문이다. 모국어 독서력이 탄탄하고 엄마와 대화가 원활한 아이라면 뒤늦게 영어를 접한다고 해도 만회가 가능하다.

## 영어 열등감, 아이에게 들키기 싫다고요?

내가 접해본 '엄마표 영어를 하지 않는 이유' 중에 가장 충격적이면서 가장 솔직한 이유가 바로 이 "아이 앞에서 우스워지기 싫어서 안 해요."였다. 심지어 어떤 분은 아이와 자신의 영어 성장 속도 차이에서도 열등감을 느낀다고 표현했다. 솔직해야 할 관계 중 하나가 가족일 텐데, 아이에게도 자신의 단점이나 부족한 점을 숨겨야 한다면 참 안타까운 일이다. 매우 불편하고 피곤하고, 무엇보다 행복하지 않기 때문이다.

나 자신의 나약함을 인정하면 뜻밖의 행운이 찾아온다. 나는 1호가 초등학교 3학년 때 아이의 수학 머리가 이제 나를 뛰어넘는다는 사실을 깨달았다. 초등학교 3학년 사고력 수학 문제집을 푸는데 나는 끝내 풀지 못했던 문제를 아이는 굉장히 쉽게, 그것도 기발한 방식으로 풀어냈다. 그날 나는 1호에게 솔직하게 말했다. "이제 엄마가 네 수학 공부 도와주는 건 못 할 것 같아. 네 수학 머리가 엄마보다 뛰어나. 그러니까 모르는 문제 만나면 엄마한테 묻지 말고 문제집 뒤에 있는 해설집 풀이 과정 보면서 스스로 방법을 배워봐. 이제 그게 네 선생님이야." 그날 이후 나는 아이의 수학 문제집을 채점해주지도 설명해주지도 않았다. 아이는 스스로 수학 문제를 풀고 답을 찾아갔다. 자기주도 수학 공부의 시작이었다.

엄마가 모든 과목의 과외 선생님이 될 수 없고 엄마도 완벽하지 않다. 엄마는 그 사실을 인정해야 하고, 아이도 이해해야 한다. 심지어 엄마가 아이인 자신보다 부족하다는 걸 알게 된 순간, 아이는 엄마를 우습게 보는 것이 아니라 따뜻하게 안아준다. "엄마, 괜찮아. 그리고 걱정 마. 나 이거 혼자서도 잘할 수 있어." 그날 이후 1호는 수학에 관한 한 성숙한 태도로 멋지게 문제를 풀어냈다. 게다가 "나는 수학을 굉장히 잘해."라는 자신감을 갖고 실제로 수학을 꽤 잘하는 아이로 컸다.

현명한 엄마는 오히려 아이에게 낮은 자세로 다가간다. "엄마가 잘 몰라서 그러는데 엄마 좀 도와줄래?"라는 식으로. 실제로 영어를 잘하는 엄마라도 전략적으로 아이에게 말을 건넨다. "엄마가 영어 원서는 한 번도 끝까지 읽어본 적이 없는데 이거 꼭 해보고 싶거든. 그런데 혼자서는 용기가 안 나네. 엄마 좀 도와줄래? 이거 같이 청독해줄 수 있어?"라는 식으로 아이의 원서 청독을 유도할 수 있다.

아이는 자신에게 도움을 청하는 엄마에게서 깊은 신뢰와 겸손을 배운다. 자신의 부족함을 인정하는 어른의 용기가 얼마나 아름다운지도 느낀다. 그것을 바탕으로 아이는 타인에게 겸손과 솔직함으로 신뢰와 기쁨을 얻는, 단단한 아이로 성장할 수 있다.

# 엄마표 영어 성공을 위한 마인드셋

## 육아 결벽주의 버리기 : 오픈 마인드

인터넷을 통해 너무나 많은 정보와 지식을 쉽게 얻는 젊은 엄마들이 빠지기 쉬운 것이 '육아 결벽주의'다. 육아 결벽주의란 이런 것이다. '초등학교 이전에는 절대 문자 교육은 하면 안 돼. 그러면 아이의 상상력과 창의력이 없어진대. 우리 아이에겐 절대로 숫자와 연산을 보여주지 않을 거야. 이것도 창의력을 파괴한대. 영어 유치원 보내. 괜히 전문가도 아닌 엄마가 아이에게 영어 환경 만들어준답시고 붙잡고 있다가 후회하지 말고. 엄마 발음이 부정확한데 무슨 영어 그림책을 읽어줘. 애 귀만 버려. 그림 그릴 때 아이가 그려달라고 해도 절대로 그려주면 안 된대. 창의력에 해가 된대. 영어 DVD 볼 때 반드시 무자막으로 틀어줘야 한대. 영어 그림책 읽어줄 때 한국어로 해석해주면 절대 안 된대. 영어로 상상하게 만들어야 된대. 파닉스 교육은 지금 반드시 해야 한대. 그래야 비로소 글을 읽을 수 있대. 조기 유학은 절대로 안 된대. 스마트폰, TV, 태블릿 PC, 게임은 절대로 허용하면 안 된대.'

나는 이 모든 결벽주의에 하나하나 반박할 수 있다. 내용은 아래 영상을 참조해주시길.

▶ 무자막으로 영화보지 마세요. 시간 낭비예요

▶ 파닉스를 배워야 영어책을 읽는다

▶ 영어 유치원 보내지 마요

▶ 발음 안 좋으면, 영어 그림책 읽어주지 마라?

절대로 하면 안 되는 것? 그런 것은 없다. 설령 엄마가 아무리 완벽한 영어 환경을 만든다고 하더라도 아이들이 거부할 것이다. 아이들은 로봇이 아니다. 문자 교육도 스마트폰 사용도 학원 보내는 것도 최대한 늦추려고 했는데 뜻대로 안 되는 경우가 많다. 문자 교육을 그렇게 피했건만 그림책을 읽을 때마다 글자에 손가락을 가져다 대며 "이거 무슨 글자야?" 하는 아이의 물음을 무시하고 책장을 넘길 수도 없는 노릇이다. 반대로 아이의 관심을 글자에 유도하려고 아무리 애를 써도 아이가 글자 읽기를 거부하고 책을 덮는다고 해서 아이를 타박할 수도 없다. 유난히 숫자를 좋아해서 종일 1부터 100까지 써대는 세 살 아이의 손에서 연필을 뺏을 수도 없고, 영어 유치원 보내달라고 떼쓰는 아이를 두고 영어 유치원은 정서에 안 좋다며 아이의 의사를 묵살할 필요도 없다.

무엇보다 아이의 뇌가 거부할 수 있다. 가령 그림책만 해도 언어를 '음악'으로, '놀이'로 인지하는 만 3세 이전의 아이들은 인지발달상 라임이 있거나 의성어 의태어가 많은 책이 아니고서는 잘 집중하지 못한다. 앞에서도 잠깐 언급했지만 이 시기의 아이들은 자기 생활과 비슷한 내용의 생활 동화 정도를 이해하고 집중해서 듣는다. 호흡이 길고 기승전결과 반전이 있는 명작동화, 전래동화는 네다섯 살 이상이 되어야 이해할 수 있다. 따라서 엄마는 아이의 월령별, 연령별 뇌 발달, 즉 인지, 언어, 정서적 발달과 신체적 발달 과정과 단계를 이해할 필요가 있다. 아이의 월령별 뇌 발달과 기질을 파악하면 육아가 한결 쉽고 흥미롭기까지 하다.

육아 과정에서 마주치게 되는 아이의 거부 반응은 당연한 것이고 중요한 신호다. 때로는 그 의사를 존중해야 하고, 때로는 아이를 달래서 그 산을 넘어갈 수 있도록 도와줘야 한다. 육아에 있어서 흔들림 없는 자기만의 기준도 있어야 하지만 상황에 맞게 그 기준을 바꿀 수 있는 용기, 유연함도 필요하다. 나아가 이 융통성은 아이를 잘 관찰함으로써 얻는 이해에서 발휘된다.

만약 당신이 아이가 당신 뜻대로 안 따라와준다고 힘들어하고 있다면 한번 생각해보기를 바란다. 당신의 뜻이 아이를 위한 '최적의 판단'이라고 어떻게 장담할 수 있을까? 내 경우에는 아이를 낳고 20년이 지나고 보니 육아 시절 내가 고집했던 '내 뜻'이 많은 순간 '오판'이었던 것, 내 뜻대로 이루어졌더라면 아찔했을 것들이 꽤 있었다. 그러니 지금 아이가 내 뜻대로 안 따라와주는 것이 어쩌면 천만다행일 수도 있다는 걸 잊지 말자.

## 옆집 엄마 말고 아이에게 물어보세요 : 대화의 기술

다음은 강연장에서 만난 한 초등학생 엄마의 고민이다.

"아이가 일기 쓰기를 힘들어 해서 하루는 아이디어를 내서 도와준 적이 있어요. 그런데 그때 선생님이 그 일기를 잘 쓴 일기라고 칭찬해주고 반 친구들 앞에서 읽어줬던 모양이에요. 그런데 그다음부터 애가 일기를 혼자 쓰려고 하지 않고, 한 줄 한 줄 저한테 물어보고 확인하고 받아 적는 거예요. 이렇게 자꾸 저에게 의지해서 일기를 쓰면 이게 애 일기인가요? 제가 쓴 일기지. 계속 이런 식으로 일기를 저에게 의존해서 쓸까봐 걱정돼요. 이럴 땐 어떻게 해야 하나요?”

나는 이 질문에 이렇게 대답했다.

“방금 말씀하신 그대로, 그 걱정스러운 마음을 있는 그대로 솔직하게 아이한테 말해보세요. ‘이렇게 쓰는 건 엄마 일기지 네 일기가 아니야. 이렇게 계속 엄마한테 물어보면 엄마의 글 솜씨랑 생각하는 능력만 커지지 너는 아무런 성장이 없어. 그런데 자꾸 엄마한테 물어보는 이유가 있는 거야? 그게 뭘까? 혼자 쓰면 멋지게 못 쓸까봐 그게 걱정이 되는 걸까? 엄마도 어렸을 때 그런 적이 있거든.’ 이렇게 대화를 시작해보세요.”

아이와 허심탄회하게 대화를 나누다보면 의외의 솔루션을 찾게 되거나, 그 대화를 통해서 아이가 잊지 못할 교훈을 배우기도 한다. 이게 정답이다. 아이에게 직접 물어보는 것. 대부분의 육아나 교육과 관련한 고민은 당사자인 아이에게 물어보면 의외로 쉽게 풀린다. 옆집 엄마 말고 내 아이와 이야기해야 한다. 그런데 이게 말이 쉽지, 아이의 속마음을 말로 듣는 것이 생각보다 쉽지 않다. 오랜 시간 엄마와 아이의 '관계 통장'에 '사랑 잔고'가 많이 쌓여 있어야만 가능하다. 아이와의 대화가 전혀 없거나 잘 안 된다면 다음의 세 가지 경우를 생각해볼 수 있겠다.

첫째, 대화다운 대화를 나눠본 적이 없어서 대화 자체가 어색한 경우. 둘째, 엄마가 답을 정해놓고 말을 거는 경우. (대화의 탈을 쓴 잔소리다.) 셋째, 아이의 대답을 판단하고 평가하고 단정짓고 비난하는 경우. (엄마의 리액션은 대화를 단절시키는 주범이다.) 이 세 가지 경우 모두 아이는 입을 닫고 대화는 끊긴다. 그렇다면 어떻게 아이와 대화를 시작해볼 수 있을까?

### ○ 대화의 어색함을 연습으로 극복하기

아이와 동등한 입장에서 대화해본 경험이 없다면 그 '시작'이 어렵다. 아이, 어른 모두 어색하기 때문이다. 온종일 아이에게 내뱉는 말이 "숙제했어? 책 읽었어? 수학 문제 풀었어? 학원 가방 잘 챙겼어? 학원 보충 몇 시야?" 이런 식이었다면 이번 기회에 제대로 된 대화의 물꼬를 터보는 건 어떨까?

대화에서 중요한 건 공통 관심사다. 부모와 아이의 공통 관심사를 소재로 삼으면 대체로 이야기가 끊이지 않고 관계도 무척 친밀해진다. 예를 들어 잠자리 독서 문화가 있는 가정이라면 그림책이나 소설책이 좋은 대화 소재가 된다. 책을 잘 읽지 않는(읽기 어려운) 초등학교 고학년 때는 신문 기사 스크랩으로 글쓰기를 유도하면서, 기사와 관련해 다양한 이야기를 나눌 수 있다. 신앙이 있는 가정이라면 (크리스천인 경우) 잠자리에서 성경 구절을 읽고 함께 이야기를 나누다가 기도로 마무리하기 때문에 늘 자연스럽게 자기 속마음을 표현하는 훈련을 하게 되기도 한다. (주변에 말을 맛깔스럽게 잘하는 친구나 강연자들 중에는 독실한 크리스천인 경우가 많은데 놀랄 일도 아니다.)

그런데 만약 아이와 대화를 나눌 만한 습관이나 이야기 소재가 없다면, 그로 인해 아이와 대화하는 게 영 어색하다면 엄마가 먼저 대화의 길을 터야 한다. 어떻게? 이렇게 솔직해도 되나 싶을 정도로 솔직하게 엄마 자신의 심정을 털어놓는 것이다. 앞의 사례에서 내가 초등학생 엄마에게 대답했던 대로다. 고민하고 있는 것을 그대로 아이에게 말해보는 것. 그리고 아이를 이해해주는 것. 실제로는 엄마 자신이 어린 시절에 아이와 같은 경험이 없다고 하더라도 슬쩍 "엄마도 어렸을 때 말이야."라고 이야기를 꺼내면 아마 아이의 눈이 똥그래질 것이다. (이와 관련된 그림책도 많은데, 그림책의 힘을 빌려 대화를 나누면 더 재미있고 인상적인 대화를 할 수 있다.)

### ○ 고수 엄마의 리액션
### : 아이의 말을 판단, 비난, 평가하지 않을 것

겉도는 대화가 아닌 진솔한 대화가 이루어지려면 듣는 사람의 자세가 중요하다. 엄마 생각에 아이가 다소 실망스러운 이야기를 하거나 미숙하게 표현한다고 하더라도 민망하지 않도록 따뜻하게 피드백해줘야 한다. 아이의 말을 판단하고 지적하고 반박하지 않고 "아, 너는 그렇게 생각하는구나. 그렇게 생각할 수 있어." 하며 있는 그대로 받아들이는 연습이 필요하다. 아이의 말을 판단하고 단정짓고 그 자리에서 "네가 그렇게 말하고 행동하니까 친구들이 널 피하는 거야!" 하는 식으로 핀잔을 주거나 비아냥거린다면 아이는 크게 상처받고 입을 닫을 것이다. 무슨 이야기를 하든 엄마의 비난이 쏟아진다면 어떤 아이가 엄마에게 말하고 싶을까? 만약 아이가 방문을 닫고 엄마와의 대화를 피한다면 엄마의 리액션을 살펴볼 필요가 있다. 답이 정해진 잔소리를 습관적으로 하거나 아이의 말을 듣자마자 나무라고 교정하려고 들지는 않았는지.

우리 집 2호가 중학교 3학년일 때 이런 일이 있었다. 수행 평가, 학원 숙제, 학교 공부로 바쁜 와중에도 틈틈이 게임을 해야 하는 평범한 '중딩'이었던 2호는 늘 취침 시간이 밤 12시나 새벽 1시였다. 며칠 연이어 늦게 자더니 아침에 일어나는 것을 무척 힘들어하길래 걱정돼서 "너 이렇게 늦게 자고 일어나면 학교에서 피곤하지 않니? 졸려서 어떻게 참아?"라고 물었다. 2호의 답은 무척 짧았다. "그래서 학교에서 자."

여러분이라면 아이의 이 대답에 어떻게 반응할 것인가? 잠깐, 상상해보자. 실망감이 나를 감싸면서 화가 버럭 날 것이고, 그것은 입을 통해 험악한 말로 쏟아져 나가지 않을까? "내가 이럴 줄 알았어!! 그러니까 엄마가 일찍일찍 자라고 했지!! 수업 시간에 잠을 자? 너 언제 정신 차릴래!" 이렇게. 하지만 이건 뻔한 반응이고 하수의 리액션이다. 엄마에게 놀란(질린) 아이는 앞으로 절대 '진실'을 말하지 않고 엄마가 듣기 좋은 말로 '포장'해서 말하거나 아예 입을 닫을 가능성이 크다.

그래서 나는 어떻게 했느냐 하면, 물론 나 역시 2호의 대답을 듣자마자 '아, 놔….' 하고 1초간 실망했고 '하아, 수업 시간에 한 번 자 버릇하면 습관되는데.' 하며 2초 속상했지만, 이내 내 마음속에 떠오른 말은 '그래도 고맙다.'였다. '엄마, 나 사실 수업 시간에 자. 너무 졸려서.'라고 솔직하게 말해준 아이가 고마웠다. 나아가 그렇게 솔직할 수 있는 우리의 관계가 좋았고 나에 대한 2호의 신뢰가 기뻤다. '엄마는 내가 밖에서 그 어떤 모자란 짓을 해도 두 팔 벌려 안아줄, 자신을 받아줄 사람'이라는 믿음이 없다면 아이가 이렇게 솔직하기는 어렵다.

그래도 내심 신경은 쓰였는지 2호는 그렇게 말해놓고 내 표정을 살폈다. 나는 '아이구야, 왜 아니겠어. 졸린 게 당연하지.' 딱하다는 표정으로 아들을 바라봤고, "거 봐. 졸려서 힘들다니까. 그러니까 이젠 좀 일찍일찍 자."라는 말로 넘어갔다.

엄마가 벼락같이 화내고 소리 지를 줄 알았는데 의외로 따뜻하게 넘어가면 아이들은 당황하지만 곧 감동한다. 중요한 건 바로 그다음이다. 이때 아이의 '자기 성찰' 기제가 발동하기 때문이다. '그래, 이건 아니지. 수업 시간에 자는 건 좀 아니잖아? 안 그래, 나야? 이제 진짜 정신차리자.' 하고 스스로 생각한다. 단 한마디의 잔소리나 전쟁 같은 드라마 없이, 우아하게 아이의 반성과 결심을 유도하는 나만의 비결은 바로 이것이었다. 아이의 실수나 다소 실망스러운 행동을 모른 척하고 지나가는 것. 아이를, 아이의 언행을 도마 위에 올려놓고 난도질하지 않는 것. "그럴 수 있어. 그런데 다음엔 좀 더 노력하자." 온화하고 짧고 굵은 한마디. 그 한마디 안에 담긴 따뜻함과 카리스마. 이렇게 우아하게 아이의 마음을 움직이는 건 어떨까?

### ○ 아이에게 물으면 정말 아이가 답을 말해주나요?

그럴 수도 있고 아닐 수도 있다. 다시 처음의 그 초등학생 아들의 일기 고민으로 돌아가보자. 엄마가 잔소리도 아니고 꾸지람도 아니고 협박도 아닌, 엄마의 어린 시절 에피소드를 가져와 대화의 물꼬를 텄다. 아이는 엄마의 에피소드에 '나만 이상한 게 아니고 나만 한심한 게 아니라 엄마도 그랬구나. 엄마도 일기 쓰기 힘들어 했었구나.' 하며 안정감을 느낀다. 이러한 공감대가 형성되면 아이는 기꺼이 자신의 감정을 표현하고, 그제야 비로소 생각이란 것을 한다. 자신의 문제를 직면해야 비로소 앞으로 나아갈 수 있다. 자, 그럼 이제 어떻게 할까?

## 루틴 만들기, 엄마표 영어 성공 비결 : 좋은 습관(밭) 만들기 10년

### ○ 반복인 일과에 영어 소리를 얹어보자

언어와 운동의 공통점은 ① 날마다 ② 일정 분량을 ③ 꾸준히 축적해야만 결실을 맺는다는 것이다. 이토록 정직한 것이 또 없다. 그러니까 어쩌다 하루 마음이 동해서 두 시간 공부하고 일주일 내내 손 놓고 있는 것보다 날마다 20분씩 꾸준히 하는 편이 낫다. 새해 결심으로 부동의 1, 2위를 다투는 게 운동과 다이어트이지만 이 '날마다 꾸준히'가 어렵기 때문에 대부분의 사람들이 늘 운동과 다이어트에 실패하는 것이다.

아이들에게 영어 소리 노출 환경을 만들어주는 것 또한 가능한 한 '꾸준히' 지속되어야 하기 때문에 시작하기도 전에 '난 못해. 태어나서 지금까지 뭔가를 꾸준히 해본 역사가 없어. 그러니까 엄마표 영어도 못 해.'라며 자기 자신에게 시작할 기회조차 주지 않는 사람들이 많다. 하지만 난 이렇게 묻고 싶다. "잠은 꾸준히 자고 밥은 세 끼 매일 먹지 않나요? 밤마다 아이들 목욕시키고 아침마다 어린이집 등원시키지 않나요?" 그렇다. 생각보다 우리가 꾸준히, 반복적으로 하는 일들이 일상 곳곳에 숨어 있다. 그 루틴에 '아이들에게 영어 소리 노출 환경 만들어주기'라는 루틴을 심어 넣으면 엄마표 영어의 성공률은 자연히 높아진다.

예를 들어 아이가 아침에 등원하기 전, 밥 먹는 데 시간이 많이 걸린다면 아침밥 먹는 시간을 이용하자. 아이가 밥 먹는 동안 영어 그림책을 읽어주거나 원어민이 낭독해주는 음원을 틀어주거나 아니면 ebook을 함께 활용해서 청독하게 하는 것이다. 그러면 밥 먹는 동안 '아침 영어 그림책 30분 듣기' 미션을 완수하게 되는 셈이다. 아침밥을 먹고 옷을 입고 머리를 만지는 시간에 20분 영어 영상물을 틀어줄 수도 있다. 혹은 유치원 등원 길 혹은 등원시키는 차 안에서 아이가 좋아하는 영어 동요나 영화 음원을 들려주는 것도 좋다. 이렇게 '매일 고정된 루틴'에 '영어 소리 노출'을 겹쳐본다. 동시에 진행하거나 연달아 진행해보는 것. 이렇게 하면 자투리 시간에 틈틈이 쌓이는 영어 소리의 양은 상당하고 무엇보다 '하루도 빠지지 않고 꾸준히 반복하기'가 가능하다. 하루 세 시간씩 어떻게 영어 소리 노출을 해? 그게 가능해? 싶지만 위와 같은 방법을 사용하면 유치원 등원 전에 한 시간 이상 영어 소리를 노출하겠다는 목표는 이미 달성한 것이나 다름없다.

약아지자, 엄마들이여. 부담스럽고 힘들면 엄마표 영어 제대로 하는 게 아니다. 별로 힘들이지 않았는데 뭔가 차곡차곡 쌓여서 오히려 힘이 난다면? 당신은 엄마표 영어를 아주 잘하고 있는 것이다.

### ○ 엄마표 영어는 길어야 10년

세 살 버릇 여든 간다는 말은 소름 끼치게 맞다. 초등학교 3~4학년이면 말 그대로 10대다. 부모 말 징그럽게 안 듣는다. 아니, 아이는 알을 깨고 밖으로 나가려고 버둥거린다. 이때 뒤늦게 아이에게 좋은 습관을 만들어주려고 하면 아이도 엄마도 힘들다. "엄마, 하던 대로 하세요. 왜 갑자기 부지런해지셨어요. 관심 끄세요."가 되기 십상이다. 좋은 습관은 어려서 몸에 배지 않으면 실천하기 힘들다. 아이에게 좋은 습관이 몸에 꼭 맞는 옷처럼 익숙해질 때까지는 어쩔 수 없이 가정에서 신경 써야 한다.

다시 말하지만 길어야 10년이고 짧으면 3년이다. 아이가 어려서부터 해야 할 일을 모두 마쳤을 때의 개운함과 성취감, 책임감을 많이 느낄 수 있도록 그런 기회를 만들어주는 게 좋다. 어려서부터 성공의 경험, 책임을 다했을 때 차오르는 뿌듯함을 자주 겪어본 아이들은 자존감이 높다. 주어진 일을, 어려운 과제를 해낸 자기 자신이 자랑스러울 수밖에 없다. (엄마표 영어 유효기간 10

년에 대한 구체적인 내용은 80~81쪽을 참조하시길!)

좋은 습관을 만들어주는 '엄마표 상반기 10년'이 끝나고, 그 다음 10년은 '도 닦고 기다리며 관찰하는 엄마표 10년'이다. 전반 10년은 엄마가 이끌고 후반 10년은 아이가 엄마를 이끌고 가야 한다. 다시 한번 말하지만 엄마표는 무엇을 가르치는 것이 아니다. 아이 옆에 있어주는 것이고 아이를 꾸준히 관찰하는 것이다. 아이가 걸음마 하려고 하면 옆에서 손잡아주고, 그네 타고 싶어 하면 그네에 태워 뒤에서 잡고 밀어주는 것. 이런 역할을 하는 것이 엄마표다. 아이에게 좋은 그림책을 신중하게 골라주고 아이가 책을 잘 이해하는지 거부하는지 조심스럽게 지켜보는 것. 아이에게 잘 맞는 학원을 고르고 아이가 학원 생활에 힘든 점은 없는지 지켜보고 기다려주는 것. 그게 엄마표다.

하지만 대부분의 엄마들이 반대로 한다. 신경 써야 할 상반기 10년을 느슨하게 방치하고, 놓아줘야 할 하반기 10년을 쥐고 흔든다. 그러니 아이가 온몸으로 반항하고 거부하는 것이다. 이건 사춘기 탓이 아니라 엄마가 말 그대로 '뒷북'을 쳤기 때문이다. 하반기 10년은 아이에게 간섭하지 말자. 그건 아이가 더 어릴 때 했어야 했고 초등학교 3~4학년 이후에는 이미 늦었다.

내 엄마표가 제대로 가고 있는 것일까? 이 질문은 옆집 엄마도 아니고 블로그 이웃도 아니고, 내 아이에게 물어야 한다. 내 아이만 이 물음에 대한 정답을 온몸으로 알고 있다. 혹 아이가 너무 어리다면 묻지 말고 아이를 관찰하자. 어른인 엄마가 아이를 세심하게 살피고 추측하고 알아보고 곰곰이 생각해야 한다. 때로는 학교 선생님, 학원 선생님, 과외 선생님과 만나 상담해보고 함께 해결책을 찾다 보면 의외로 쉽게 답을 얻기도 한다.

간혹 아이보다 더 아이 같은 엄마들도 많다. "몰라, 몰라. 그냥 학원 보낼래." "죽이 되든 밥이 되든 그냥 집에서 공부시킬거야." 심지어 이렇게 말만 하고 방치하는 경우도 많다. 이러면 절대 안 된다. 나도 몇 번 해봐서 잘 안다. 지금 생각해도 마음이 쓰리고 후회된다. 시간은 속절없이 가버리고 지나가버린 세월은 돌이키기 어렵다.

그러니 오늘부터 내 아이를 관찰하자. 아이가 좋아하는 간식을 먹으면서 이야기해보는 것도 좋겠다. 아이가 무엇을 좋아하는지, 왜 힘든지, 어떤 것에 어떻게 반응하는지 예민하게 살피면서 육아 문제, 교육 문제를 풀어보자. 만 10세까지는 엄마의 '안내'가 필요하고, 그 이후부터는 '인내'가 필요하다.

## 직장맘 vs. 전업맘

아이가 태어나면 여자는 당황한다. 이제 막 사회생활 시작했는데, 이제 제대로 일 좀 배우고 능력 발휘하면서 승승장구하려고 했는데. 당장 아이를 봐줄 어른도, 베이비시터도 없다. 애써 아이를 떼어놓고 출근할 때 아이가 눈에 눈물이 그렁그렁 맺혀 엄마 옷가지를 붙잡고 "엄마, 회사 가지 마. 내가 엄마를 얼마나 사랑하는데." 이렇게 애원하면 가슴이 무너진다. 내가 무슨 부귀영화를 보자고 우는 애 떼어놓고 모질게 출근하나 싶다.

한편 결혼과 동시에 출산하고 전업주부 생활을 시작하는 여자들은 눈 앞에 펼쳐진 현실에 당황할 수밖에 없다.

'나 이러려고 죽어라 공부한 거 아닌데.'

온종일 집에서 청소, 빨래, 요리하고 아이 뒤치다꺼리까지 하고 있자니 한숨만 나온다. 한 해 한 해 직장에서 커리어 쌓는 친구가 부러워지며 나만 이렇게 영영 낙오자가 될 것 같은 두려움을 느낀다. 한없이 불안하다. 스카프 날리며 하이힐 신고 출근하는 옆 동 직장맘의 뒷모습만 봐도 눈물이 찔끔 나올 것 같다.

나는 운 좋게도 둘 다 해봤다. 직장생활 10년, 전업주부 행세도 거의 그만큼 했으니 직장맘과 전업맘의 애환을 이해한다. 아니다. 아닐 수도 있다. 어쩌면 내 이야기는 오히려 그 둘을 더 화나게 할지도 모르겠다. 난 직장맘일 때도 전업맘일 때도 순간순간이 행복했기 때문이다. 기록으로 남기지 않으면 안 될 만큼 매 순간이 좋았다.

### ○ 불꽃 같았던 직장맘 시절

일은 재미있었다. 대학원 재학 중 결혼을 했고, 졸업과 동시에 첫 아이를 낳았기 때문에 일에 대해 간절함이 컸다. 남편 몰래 이력서를 내고 면접을 보러 다녔고 운 좋게 원하던 회사에 합격했다. 갓난아이를 바라보며 "애는 어떻게 할 건데?"라고 반대하는 남편에게 눈물로 호소했다.

"나, 이 회사 진짜 다니고 싶어."

다행히 동네에 좋은 분이 계셔서 그분께 아이를 맡기고 일을 시작할 수 있었다.

첫 직장은 휴대폰 제조 및 수출업체로, 내가 맡은 일은 중국

영업이었는데 회사 내 주요 부서, 중국 바이어들과 소통하고 협상하는 일이 전부였다. 미팅과 해외 출장이 잦았다. 출장이 있는 날이면 남편이 돌쟁이 1호를 돌보느라 고생이 많았지만 회사에서는 일만 생각했다. 이 많은 것을 가르쳐주고 능력도 키워주면서 매달 돈까지 주다니! 돈 받고 일을 배울 수 있는 회사가 참 고마웠다. 회사에서의 나는 '엄마'가 아니라 '남 대리', '남 과장'이었다.

그러나 퇴근하는 지하철 안에서부터 나는 다시 '엄마'로 180도 바뀌었다. 1호를 만날 생각에 늘 가슴이 두근거렸다. 지하철역에서 어린이집까지 달려가 아이를 만나면 한참 아이를 끌어안고 볼을 비비고 뽀뽀 세례를 퍼붓고 빙글빙글 돌고는 했다. 그렇게 집에 와서 저녁을 먹고 나면 밤 9시. 그때부터 아이가 잠드는 밤 12시, 혹은 새벽 1시까지 서너 시간은 온전히 1호에게만 집중했다. 살림보다는 아이와 함께 책 읽고, 보드게임하고, 그림 그리고, 실험하며 노는 데 집중했다. 틈틈이 아이가 내뱉는 말들을 적어놓고, 사진과 동영상을 찍어놓기도 했다. 한순간도 놓치고 싶지 않았다. 아이와 함께하는 모든 순간이 행복했다.

돌이켜보면 회사에서는 회사 일에만, 집에서는 육아에만 집중하고 몰입했기 때문에 가능한 일이었다. 그 무엇이든 몰입하면 즐겁다. 회사 일과 육아가 힘들지 않고 즐거웠던 까닭이 바로 여기에 있었다. 그 순간을 즐긴 것. 학창 시절 선생님이 늘 하시던 말씀을 기억한다.

"공부 못 하는 학생들의 대표적인 특징은 수학 공부하면서 영어 걱정하고, 영어 공부하면서 국어 걱정을 한다는 거야. 뭐 하나 제대로 공부하지 못해. 걱정만 하다 세월을 다 보내지."

우리도 이런 걱정이 어리석다는 것을 잘 알고 있지만 떨쳐내기는 힘들다. 직장맘일 때는 전업맘을 부러워하고 전업맘일 때는 직장맘을 부러워하면서 '지금 이 순간의 짜릿함'을 놓쳐버린다. 이런저런 불안과 걱정이 엄마인 자기 자신을 괴롭히겠지만 회사에 있을 때는 회사 일이 주는 기쁨을, 아이와 함께 있을 때는 아이가 주는 기쁨만을 생각하고 누릴 수 있으면 좋겠다.

내가 회사 일과 육아를 병행할 수 있었던 원동력을 좀 더 이야기하자면 하나는 아이가 아프지 않고 어린이집에서 건강하게 잘 자라준 덕분이고, 다른 하나는 '기대치가 워낙 낮아서 쉽게 만족하는' 내 성격 또한 한몫했다. 베이비시터, 교육 기관, 선생님에게 늘 감사했다. "그럴 수도 있지 뭐. 나라도 그랬을 거야. 이만하면 훌륭해. 우리 아이 잘한다. 놀라워!"가 매우 잘되는 성격이었고, 잠재적 스트레스 자체를 스스로 걸러내는 성격이 큰 힘이 됐다.

늦은 나이에 미국에서 유학을 하면서 다양한 한국인 이민자를 만나게 됐는데 그때 깨달았다. '아, 한국에서의 삶이 우울하고 불행했던 사람은 미국으로 도망쳐 온다 한들 그 우울함, 불행함이 사라지지 않는구나. 한국에서의 삶이 넘치게 행복했던 사람이라면 그 어느 나라를 가나 생기 넘치고 행복하구나.' 직장생활이 짜릿하고 즐거웠던 엄마라면 퇴사하고 전업해도 행복한 육아를 할 수 있다. 환경이 문제가 아니라 '나 자신'이 문제다. 내가 어떤 마음가짐으로 오늘을, 이 순간을 살아 내느냐에 해결책이 있다.

### ○ 전업맘, 아이와 함께 엄마도 성장한다

두 번째 직장은 글로벌 회사였고 내가 맡은 일은 중국 시장을 대상으로 하는 브랜드 마케팅 업무였다. 나는 영어와 중국어를 자유롭게 구사할 줄 알아서 마케팅 이력이 부족했음에도 불구하고 운 좋게 합격할 수 있었다. 한·중·영 번역, 통역 시험을 연달아 보고, 두 차례 면접을 보았는데 마지막 면접에서는 인상 좋은 미국인 지사장이 면접관이었다. 사장은 내가 당연히 미국에서 산 적이 있거나 유학 경험이 있는 사람이라고 생각했던 모양이었다. 미국 땅 한 번 밟아본 적 없는 변변찮은 영어 실력을 갖춘 내가 미국인 사장과 면접을 하고 영어로 프레젠테이션을 하게 될 줄은 꿈에도 몰랐다. 내가 했던 것이라곤 밤마다 애한테 영어 그림책을 읽어주고 녹음했던 것뿐이라는 사실을 말해주면 다들 믿지 않았다.

어렵게 얻은 귀한 기회라 회사에서의 하루하루가 꿈만 같았다. 새로운 분야의 일을 배우면서 하나하나 해나가던 터라 회사가 고마웠다. 스펀지가 물을 흡수하듯 일에 빠져 살았다. 외국계 회사라 칼퇴근이 당연하고 일 처리가 스마트한 것도 좋았다. 이직한 시점이 2호를 임신했을 때라 만삭에 비행기를 타고 출장을 가야 하는 일도 잦았지만 그것도 감사했다. 그만큼 일이 재미있었다.

2호가 태어나고 시부모님과 함께 살면서 나는 독박 육아, 맞벌이의 고통에서 해방될 수 있었다. 감사하게도 시부모님이 사랑으로 1호, 2호를 키워주셨고 우리 부부를 챙겨주셨다. 직장맘으로서 살아가기에 완벽한 환경이었다. 하지만 내 마음은 그렇지 않았다. 할머니 밑에서 하고 싶은 대로 하면서 지나치게 자유롭게 커가는 2호가 걱정되기 시작했다.

결국 나는 2호가 다섯 살이 될 때 회사를 그만뒀다. "생애 첫 교육 기관인 유치원에 2호를 무사 안착시키기 위한 내 선택이었다."라고 말하고 싶지만, 핑계다. 그때 나는 회사에 있는 시간보다 아이와 같이 있는 시간이 내 인생에 있어서 훨씬 가치 있다고 느꼈다. 그 생각에 확신이 드니 마음이 바빠졌다. 미련 없이 사표를 던졌다. 회사에서 비전을 찾지 못한 것도 한몫했다.

간절해서 회사에 다녔고, 간절해서 회사를 그만뒀기 때문에 전업주부가 된 첫날, 그 기쁨은 굉장했다. 회사 다닐 때 전업맘이 되면 하고 싶은 것들을 하나하나 적어두곤 했다. 간식 도시락 싸서 집 앞 어린이 도서관에 출근 도장 찍기. 도서관, 놀이터에서 아이와 함께 온종일 뒹굴기. 놀이터에서 노는 아이 넋 놓고 감상하기. 아이들 학교 보내놓고 따끈한 커피 한잔 마시며 책 읽기. 성경 공부 등록하기. 영어 공부 본격적으로 시작하기. 성당에서 봉사 활동하기. 아이들 학교에서 돌아올 시간 맞춰서 간식 만들어 놓고 먹이기. 피아노 학원 데려다주고 커피 마시며 기다리기…. 나는 실제로 이 모든 것을 하나하나 실천했다.

전업주부가 된 첫날부터 아이들이 집에 있을 때는 아이들과 딱 붙어 놀았고, 아이들이 학교, 유치원에 있을 때는 영어 공부, 성경 공부에 몰두했다. 얼마나 몰두했냐면 결국 숙명여대 테솔(TESOL) 과정을 수료하고, 2011년 여름에는 미국으로 이중어교육학 석사 공부를 하러 떠날 만큼. 유학은 늘 꿈속에만 존재하던 일이었는데, 숙명여대 테솔 과정 중 우연히 듣게 된 유학설명회 영향이 컸다. 어라, 이거 할 만하겠는데! 싶었고, 설명회가 끝나고 3개월도 안 되어 출국 비행기에 몸을 실었다. 가자!

다행히 시부모님이 흔쾌히 허락해주셨고 남편도 동의해주었다. 심지어 어머님은 “똑똑한 엄마 덕분에 애들이 좋은 경험하네.”라는 격려의 말씀까지 해주셨다. 늘 꺼지지 않던 내 학구열 때문에 희생된 사람은 우리 1호와 2호였다. 그래도 “우리 애들 10세 이전에 해줄 것은 다 해줬어. 그다음 인생은 너희들이 알아서 개척하는 거야.” 하고 자신할 수 있었는데, 바로 우리 아이들이 10세 되기 전까지 10년 동안 애썼기 때문이다. 그러므로 그

후 주어진 시간에는 나 자신에게 더욱 몰두할 수 있었다.

수많은 전업맘이 우울해하는 이유 중 하나는 '엄마라는 자리는 초라하고 회사 데스크는 화려하다.'라고 잘못 생각하기 때문이다. 직장맘, 전업맘 둘 다 진하게 겪은 나는 비로소 '이제는 말할 수 있다'. 나를 성장시키고 인간이 되도록 만든 자리는 회사에서 얻은 직함이 아니라 엄마라는 자리였다. 끊임없이 실패하고 슬럼프에 빠져도 내 자식이기 때문에 포기할 수가 없었다.

직장맘에서 전업맘으로 과감히 방향을 전환해 다시 한번 내 삶을 돌아보고, 알아보고, 공부하고, 생각하면서 얻은 것이 참 많다. 나 자신을 돌아보게 되었고, 나와 친정엄마의 관계를, 남편과 시부모님과의 관계를, 남편과 나의 관계를, 그리고 아이들을 관찰하고 기록하면서 이해하게 되었다. 인간에 대한 호기심과 사랑도 커졌다. 아이의 반항과 거부가 심해질 때면 그것이 내 욕심을 돌아보고 멈춰야 할 때라는 걸 깨닫기도 했다.

그러나 가장 귀한 깨달음은 내가 진짜 원하는 것이 무엇인지를 알게 된 것, 30대 후반의 나이에 꿈을 찾은 것이다. 요즘은 입시 때문에 초등학교 때부터 "네 꿈이 뭐니?"라고 지겹게 추궁받고 소설 같은 대답을 써내야 하는 시대이지만, 한 인간이 인생에서 진정한 꿈을 찾는 평균 연령은 39세라고 한다. 39세. 내가 공부하러 미국행 비행기를 탄 나이였다.

달리 생각해보면 전업맘이란 자리는 로또다. '경력 단절'이 아니라 '경력 심화' 단계라고 할 수 있다. 인간은 그리 쉽게 변하지 않는다. 생긴 대로 살다 죽기 마련인데 자식이, 남편이 우리를 그렇게 내버려 두질 않는다. 어쩔 수 없이 '엄마가 해야 할 일', '아내가 해야 할 일'들이 생긴다. 이 '업무'들을 24시간 동안 실천해야 하는데, 그 순간순간을 집중해서 애써 살아 내면 놀라운 일이 벌어진다.

전업맘이 하는 일의 중심은 자식이 건강한 몸과 정신을 영위할 수 있도록 잘 이끌어주고 채워주는 것이며 살림을 통해 가족을 살리는 일이다. 그 과정 안에서 많은 일이 벌어진다. 회사 업무의 복합성과 난이도와는 비교도 안 되게 복잡하고 어렵다. 맞닥뜨리는 미션을 하나하나 완료하다 보면, 내가 조금씩 변하고 그럴싸해진다. 게다가 꿈도 찾을 수 있다. 나에게 가치 있는 일이 무엇인지, 삶의 목적이 무엇인지도 발견하게 된다.

거두절미하고 내 결론은 바로 이거였다.

"순간에 집중하면 없던 꿈도 생긴다. 그것이 육아든, 살림이든, 회사 일이든."

언젠가 혼자 카페에서 노트북 펼쳐놓고 일을 하다가 문득, "아, 이 순간 너무 행복하다."라는 생각이 들어 사진을 찍어 놓고 아이들이 학교 갔을 때 틈틈이 공부하면서 활동하던 테솔 블로그에 끄적거렸다. 나는 공부할 때 제일 행복하다고, 그래서 지금이 행복하다고. 글을 쓰자 바로 이런 내용의 댓글이 올라왔다.

"큰아이 낳고 경력 단절 4년째네요. 뭔가 다시 시작하려는데 너무 막막하네요. 요즘 매일 고민합니다. 새벽달님은 영어 잘해서 좋겠어요. 너무 부러워요."

앗, 이게 아닌데. 오직 내 기분에만 취해 블로그에 올린 글과 사진이 누군가에게는 슬픔이 될 수 있다는 사실을 알았다. 또 한편으로는 안타까운 마음이 들기도 했다. 그래서 나는 블로그에 다시 글을 썼다.

> 저는 직장을 그만두고 사회와 '단절'됐다고 생각해본 적이 한 번도 없어요. 왜냐면 직장 그만두고 하고 싶은 일이 정말 많았고, 그 많은 일 중 대부분은 두 아이를 '알콩달콩' 키우는 것이었어요. 날마다 도시락 싸서 도서관 나들이하면서 책 실컷 읽고, 영어교수법 공부도 하고, 성경 공부도 하고(쓰다 보니 어째 다 공부 ㅎㅎ). 애들 때문에 직장을 그만둔 것은 아니에요. 애를 핑계 삼아 자기 계발을 했다고 해야 할까요. 직장 생활할 때보다 더 많이 자란다는 걸 느끼면서 한 해 한 해 살았던 것 같아요.
>
> 저는 경력 단절 10년입니다. 10년 차요. (공부한 시간 3년이 포함되긴 했지만요.) 그런데 정말 그 시간을 치열하게 보냈던 것 같아요. 직장 다닐 때보다도 더요. 정말 제가 하고 싶은 일을 하

니까 지치지도 않고 행복했던 것 같습니다.

출산으로 육아로 직장 그만두신 분들, 지금은 정말, 다시 못 올 귀한 기회예요. 실컷 아이 안고 물고 빨고 하시고, 세밀하게 관찰해보세요. 새로운 우주가 보여요. 내가 보이고, 친정엄마가 보이고. 남편이 보이고, 시부모님이 보여요. 세상 아이들이 다 내 자식처럼 예뻐 보여요. 인간에 관한 관심이, 호기심이, 이해가 깊어져요. 사람 되어 가는 과정이(애들 말고 저요.) 정말 스펙터클 판타지예요.

영어 공부하고 싶으세요? 지금이 영어 공부할 수 있는 최고의 기회예요. 얼마나 좋아요. 애 유치원 가 있는 동안 네 시간은 온전히 영어 공부에 쓸 수 있는데. 그렇게 땀나게(신나게?) 경력 단절된 상태로 10년 지나면, 아마 흐리멍덩했던 '꿈'까지 찾을 수 있을 거예요.

이상, 결혼 17년 차 늙은 아줌마의 오지랖이었습니다.

P.S. 그리고 다시 한번 말씀드리지만, 저는 순수 국내파입니다. 중국어, 영어 둘 다 유학 안 가고 한국에서만 익혔어요. 이 블로그에 나오는 동영상은 미국으로 유학(2011년)을 하러 가기 전에 찍은 영상들임을 다시 한번 밝힙니다. 제 영어 실력은 '유학' 덕분이 아니라, '애들 잠자리 영어책 읽어주기 10년 이상'하다 보니 쑥쑥 오른 것이랍니다. (그러니 엄마표 영어 1년 해보고

왜 내 영어는 이 모양이냐고 하지 마시길.)

P.S. 그리고 왜 꼭 공부여야 해요? 저야 워낙 좋아하는 게 책 읽고 끄적거리는 거니까 공부할 때 행복을 느끼는 것이고 요리를 잘하시는 분은 요리로, 살림을 잘하시는 분은 살림으로, 재테크 잘하시는 분은 재테크로, 여행을 좋아하시는 분은 여행으로, 사진을 좋아하는 분은 사진으로 자기만의 행복을 만끽하고 노력하다 보면 그 분야 최고가 되어 있지 않을까요? 좋아하는 것을 꾸준히 실천하다 보면 열매 맺는 날이 와요. 올 것이라 믿어요. 직장경력 10년 차, 20년 차 부럽지 않아요.

P.S. 현재가 짜릿하지 않으면, 미래에도 짜릿한 순간은 영원히 오지 않는다! 제 생각이에요. 지금, 이 자리에서 행복 찾기!

부러우면 지는 게 아니고, 부러우면 흉내 내면 된다. 좋은 엄마는 타고나는 거 아니고 유창한 영어도 타고나는 거 아니다. 헉 소리 나는 글쟁이도 타고나지 않는다. 흉내 내고 연습하고 또 연기 하다 보면 나도 모르는 새 그렇게 되어 있는 경우가 많다. 난 못 해, 하고 시작도 안 해서 문제일 뿐. 나이키의 옛 광고처럼, "Just do it." "됐고. 그냥 한 번 해봐."를 잘 실천하는 성격이 내 인생에서 주효했다.

한편, 경력 단절 맘의 안타까운 댓글을 읽으면서 걱정하고 있던 시점에 다른 한 분의 댓글이 보석처럼 빛났다.

> 강산이 한 번 변할 만큼의 긴 시간 동안 블로그에 방문해오면서 처음으로 댓글을 남겨봅니다.
> 항상 좋은 글 읽으며 희망을 얻고 위로받고 눈물도 흘렸지만 쉽사리 글을 못 남긴 건 모두 제 게으름과 글로 온전히 마음을 표현 못 할 것 같은 두려움 때문이었습니다. 하지만 회사를 그만두신 지 10년이라는 글을 읽으니, 제가 새벽달님 블로그를 알고, 영향을 받으며 살았던 제 지난 10년도 정리하고 싶은 마음이 들었습니다.
>
> 1. 2007년 8월 출산 4개월 만에 여러 가지 이유로 10년 다닌 회사 퇴직 후, 시골 아파트에서 갓난아이 돌보며 산후 우울증을 겪고 있었음. 남편, 다른 가족들은 산후 우울증의 개념도 잘 몰랐음.
> 2. 우연히 새벽달님 블로그 보며 새로운 세상을 알게 됨. 이 순간이 소중하고 최선을 다해서 살아야 함을 느낌. 갓난아이가 낮잠을 많이 자는 관계로 시간이 남아서 인터넷으로 보육교사 공부함. (내 애도 잘 키우고 자격증도 따고 일거양득 효과를 바라며.)

블로그 보고 영어책 읽어주고 싶은 욕심이 생겨서 책 주문하고, 시어머니 오시는 날은 공공 도서관(시골이라 버스 타고 30분)에서 책 빌려서 읽어줌. 달님 동영상 보고 그대로 따라 함. 신기한 건 어느 날부터 내 리스닝 실력이 향상됨을 깨닫게 됨. 아이에게 소리 내서 읽어줬는데 내 실력이 더 늘어남.

3. 보육교사 공부를 통해 아이에 대해 많이 알게 되고 그 힘으로 아이가 5세 때까지 집에서 아이와 놀고 또 놀면서 애착 관계가 깊어짐.
4. 아이 6세 때 유치원 보내고 그사이에 나는 뭐 할까 하다가 새벽달님의 글을 보며 중국어를 배워보고 싶은 마음이 생겨 공공 도서관에서 기초 중국어 수업을 1년 들어봄.
5. 아이가 초3이 되니 학교에서 늦게 와서 조금씩 일을 해볼까 하던 중, 방송통신대 유아방에서 아르바이트 생을 뽑는다고 해서 지원함. 3월부터 일하고 있음.
   재미있어서 좀 더 해봐야지 하는 생각에 방송통신대 중문과 2학년으로 편입함. 어디 가서 말하기도 부끄러운 실력이지만 2016년 드디어 졸업했음. 중국어를 배우러 갔으나 삶의 지혜와 가치에 대해 더 많이 배우고 와서 삶의 힘과 내공이 생김.

누군가의 인생을 바꿀 만한 무엇인가가 있기에 감사하다는 말 전하고 싶었습니다. 감사합니다. 그리고 응원합니다.

어떤 이는 회사 그만두고 우울감에 빠져 10년을 허송세월하는데, 어떤 이는 이렇게 가슴 떨리는 도전을 하고 작지만 하나하나 이루어낸다. 그런 엄마에게서 아이는 얼마나 선하고 강한 영향을 받을까? 밝고 건강하게 잘 자라는 것은 안 봐도 비디오다.

우울할 것인가. 발전할 것인가.

선택하시라. 10년이면 강산이 변한다.

게다가 우리는 너무 젊다.

딱 좋다. 변화를 꾀하기에.

아이를 키우는 '오늘'이 짜릿해야 '내일'도 짜릿할 수 있다.

회사에서 일하는 '오늘 낮'이 짜릿하면 퇴근 후 아이와 함께하는 '오늘 저녁'도 짜릿하다.

나도 그랬고, 누구나 그럴 수 있다.

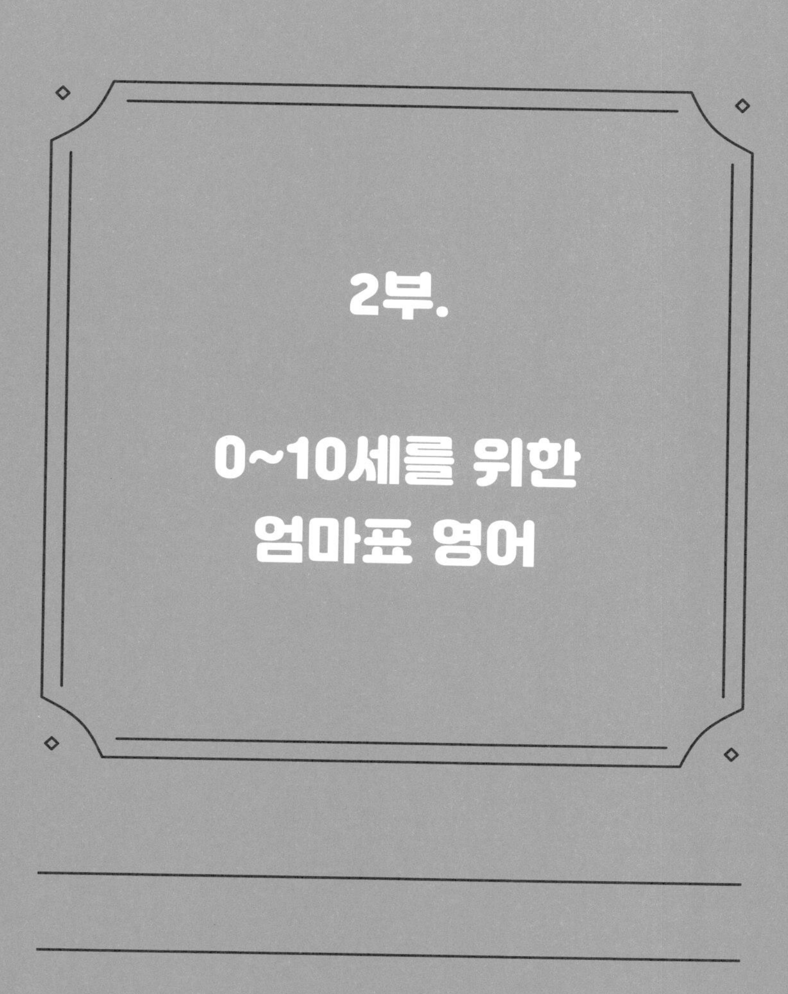

# 2부.

# 0~10세를 위한 엄마표 영어

# 0~3세, 일상에서 아이 어휘력 끌어올리기

엄마가 모든 분야에 전문가일 필요는 없지만 가정 보육이 차지하는 비중과 중요성이 기관 교육보다 큰 영유아 시기에는 엄마가 아동 발달과 외국어 습득에 대해 기본적인 지식이 있으면 편하다. 아이 행동과 마음을 예측할 수 있으므로 육아가 한결 수월하고, 영어 소리 노출도 흔들림 없이 유지할 배짱이 생긴다. 불안과 의심은 무지에서 오고 실천은 확신에서 오기 때문이다. 그러므로 영유아를 키우는 젊은 엄마들에게 꼭 당부하고 싶은 것 중 하나가 바로 아이 연령별 언어적, 정서적, 신체적, 사회적 발달 특징에 관한 책이나 강의를 찾아보라는 것이다. 특히 어린이 뇌에 대한 책과 강의는 영어 육아에 직접적인 도움이 되기도 한다.

언어 발달 과정상 특징

| 영아기<br>(0~3세) | 유아기<br>(4~7세) | 초등 저학년<br>(초 1~3) | 초등 고학년<br>(초 4~6) |
|---|---|---|---|
| Input | Input | Input + Output | Input + Output |
| •13개월 : 첫 발화<br>•18개월 : Voca Spurt<br>•24개월 : 두 단어 발화(200개 이상 단어 발화 가능)<br>•두 단어 발화 이후 의미에 대한 이해도 높아짐 | •문법 오류 있음<br>•라임 파악함<br>•첫 소리와 끝 소리가 같은 것을 파악함 | •읽기(독해력), 쓰기, 문법, 어휘 능력 폭발적으로 성장함 | •사고력 발달/ 사고한 것을 글과 말로 표현(output)하는 것이 가능하고, 훈련 여부에 따라 정교해짐 |

## 0~3세 아이의 뇌 발달과 엄마표 영어 : 애착과 스킨십

가끔 강연장에서 "저희 아이는 16개월인데, 영어 그림책은 얼마나 읽어줘야 하나요? 한글책과 영어책 비중은 어떻게 둬야 하나요?"라는 질문을 받을 때면 그 엄마의 손을 잡고 이렇게 말해주고 싶다. "그냥 마사지하면서, 'Head, shoulders, knees and toes, knees and toes. Head, shoulders, knees and toes, knees and toes. And eyes and, ears and, mouth and nose. Head, shoulders, knees and toes, knees and toes.' 노래에 맞춰서 머리, 어깨, 무릎, 발, 눈, 코, 입 손가락으로 꾹꾹 눌러주세요."라고.

그렇다. 많은 뇌 과학자나 아동발달 학자들이 말해주듯이, 0~3세 아이들에게는 양육자의 스킨십, 그리고 즉각적으로 채워지는 욕구를 통한 '애착' 관계 형성이 전부다. 이 시기에는 엄마가 아이의 배고픔, 잠, 배변에 대한 욕구를 '즉시' 해결해주는 것이 중요하다. 하던 일부터 끝낸다고, 보던 드라마를 끝까지 본다고 뭉그적거리다 반응하는 것이 아니라 아이가 울면 바로 일어나 아이의 욕구를 알아차리고 해결해줘야 한다. '엄마는 한결같구나. 내가 이 사람을, 이 세상을 믿을 수 있겠어.'라는 신뢰는 여기에서 온다.

또한 이 시기 아이의 뇌를 발달시킬 최고의 자극은 '운동'과 '청력' 자극이다. 아이는 때가 되면 제 머리를 가누고, 몸을 뒤집고, 앉고, 일어서고, 첫발을 떼고 걷는다. 끊임없이 몸을 움직이고 쓴다. 이 시기의 소근육, 대근육 발달은 아이의 뇌 발달과 직결되기 때문에 걷고 달리고 점프하고, 던지고 잡고 맞추는 운동이 영어 그림책 한 권이 주는 자극보다 훨씬 강렬하게 아이의 두뇌를 발달시킨다. 정작 독서를 통한 사고력과 논리력 발달은 전두엽이 발달하기 시작하는 초등학교 시기 이후에나 해당되는 이야기다. 그러므로 0~3세 아이에게 만들어줄 수 있는 최고의 영어 환경은 그저 아이의 귀를 즐겁게 해줄 영어 동요와 챈트를 함께 부르며 춤추는 정도면 충분하다. 다만 여기에서 조금 더 욕심을 낸다면 아이의 관심사에 맞는 책과 영상을 연계해서 읽어주고 보여주는 것 정도가 되겠다.

## 아이의 청력 레버리지를 키우는 영어 동요와 클래식

우리 집 아이들 만 3세 무렵에 내가 신경 써서 들려준 것은 영어 동요와 클래식 음악이었다. 아이의 뇌는 30퍼센트도 완성되지 못한 채 태어나지만 태어나기 전에 완벽히 발달하는 유일한 능력이 '청력'이라고 한다. 왜 아니겠는가? 아이는 이미 뱃속에서부터 엄마 목소리를 다른 사람의 목소리와 구별해서 듣는 예민함을 자랑한다. 이 때문에 갓난아이에게 가장 즐거운 두뇌 놀이는 '소리 자극'이다. 엄마가 나직하게 불러주는 자장가, 소곤소곤 건네는 말은 아이의 뇌를 자극할 뿐만 아니라 정서적인 안정도 가져다준다. 엄마표 영어도 당연히 노래로 시작하는 것이 좋다. 영어 동요 입문으로는 [Wee Sing For Babies]라는 CD 한 장에 수록된 65곡의 영어 동요로도 충분하다. 이 동요 시리즈는 가사

집이 있는데 나 역시 이 동요 가사집을 닳도록 읽고 외워서 아이들이 잠잘 때 자장가로 불러주고 낮에는 온몸으로 함께 부르며 놀곤 했다.

이 월령대 대부분의 아이가 그러하듯이 우리 집 1호도 동요 부르기를 좋아했다. 발음도 잘 안 되는 가사를 거의 외워 부르곤 했는데 그게 너무 귀여웠다. 말이 좀 늦었던 터라 발화하고자 하는 욕구를 한국어 동요와 영어 동요를 통해 충족하는 것 같았다. 다 알아듣고 이해하지만 말이 문장 형태로 안 나오니 답답했을 텐데 처음부터 끝까지 완벽하게 동요를 부르면서 얼마나 뿌듯했을까? 아이 표정에서 그 기쁨을, 자신감을 느낄 수 있었다.

이 무렵 아이들이 '아름다운 소리, 음악'을 들음으로써 정서적 안정과 뇌 발달이라는 두 마리 토끼를 잡을 수 있다는 이론을 바탕으로 나는 아이들에게 클래식을 비롯해 재즈, 동요, 내가 좋아하던 중국 대중가요를 많이 들려줬다. 그 외에도 가야금 산조, 사물놀이 따위의 다양한 소리들을 들려주면서 마사지하고, 안고, 춤추고, 간지럼 태우며 놀았다.

### ○ 음악과 영어와의 상관관계

한국어 음역대는 800~2000Hz이며, 영어 음역대는 1000~3000Hz라고 한다. 영어 듣기를 할 때 영어 자음은 쉽게 들리는데 모음 같은 높은 음역대의 소리를 잡아내기 힘든 이유는 그 음이 한국어의 음역대를 벗어난 2000Hz 밖의 음역대에 있기 때문이다. 그래서 모국어와 다른 음역대에 있는 외국어를 잘 듣기 위해서는 특별히 귀를 훈련시킬 필요가 있다. 여기서 '귀를 훈련시키는 것'은 '귀를 뚫는다'는 말이다.

그런데 귀를 뚫는다는 게 정확히 어떤 의미일까? 사실 영어 듣기를 처음 시작할 때, 영어 고수들에게 많이 듣던 말 중 하나가 "의미와 상관없이 이해가 안 가더라도 영어를 무조건 많이 들어야 합니다. 그러다 보면 귀가 뚫리면서 소리가 잘 들리게 됩니다."였다. 귀만 뚫리면 영어를 정말 우리말처럼 자유롭게 들을 수 있을까? 궁금하던 나는 그 당시 즐겨 찾던 유아 영어 사이트에서 아주 흥미로운 글을 읽게 되었다. 그 글을 아래와 같이 요약해 옮겨보았다.

> 우리 귀는 크게 외이, 중이, 내이로 나뉘어져 있다. 그중 중이는 갑작스러운 외부 음의 변화에 귀를 보호하는 역할을 한다. 시끄러운 음악을 듣거나, 사격장에서 총소리를 들으면 자신도 모르게 손으로 귀를 막는 것처럼 귀는 카메라 조리개처럼 중이를 조절해 들을 수 있는 음폭을 제한한다. 이는 우리 눈이 햇빛의 강도에 따라 동공이 커졌다 작아졌다 하는 것과 같은 원리다.
>
> 그렇다면 만약 태어나서 열다섯 살 때까지 하루 16시간 이상 800~2000Hz의 특정 음에만 집중 노출되면 어떻게 될까? 우리 귀

는 그 음역대에 익숙해질 것이고 곧 중이는 굳어져버릴 것이다. 우리 눈이 가까운 물체에 시선을 계속 고정시키면 난시가 되는 것과 같은 원리다.

영어 듣기를 잘하려면 클래식 음악을 많이 들으라는 말이 있다. 그것은 바이올린, 피아노의 고음역대 소리에 하루 한두 시간 노출되면 중이가 굳어지는 일을 방지할 수 있기 때문이다. 어릴 때 영어 듣기를 꾸준히 해야 하는 이유도 한 언어의 특정 음역대에 중이가 굳어지는 것을 막기 위해서이며, 귀가 굳어져버린 15세 이후 영어 듣기가 쉽지 않은 이유도 여기에 있다.

800~2000Hz 음역에 길들여진 20세 성인이 미국 원어민의 1000~3000Hz 목소리를 들으려면 자기 귀를 그 음역대에 맞게 기타처럼 튜닝해야 한다. 그러기 위해서는 최소 300시간 이상 집중해서 반복해서 들어야 굳어져버린 중이를 풀어줄 수가 있다. 한마디로 귀가 뚫린다는 말은 굳어진 중이를 풀어줘 소리에 대한 민감성을 회복한다는 것을 의미한다.

사람은 자신이 듣던 음역대 안에서 목소리를 낼 수밖에 없다. 한국 사람이 3000Hz대의 고음역대인 영어를 발음하려면 보통 때보다 더 우렁차게, 강하게, 탄력적으로, 마치 노래하듯이 말해야 원어민 목소리가 나오게 된다. 그리고 원어민 목소리를 낼 때는 단어 하나하나의 정확한 발음보다 원어민과 얼마나 비슷한 음역대를 내는가, 이것이 더 중요한 요소로 작용한다. 발음은 좀 틀려도 원어민에게 익숙한 음역대를 내주면 그들이 알아듣기 편하다. 그래서 영어는 남자보다 하이톤을 가진 여자들이 말하기나 듣기에서 유리한 편이다. 영어 듣기를 많이 해서 일단 귀가 영어의 음역대에 익숙해지면 그 음역대를 자신의 목소리로 내기 쉬워진다.

그저 엄마표 영어 환경 좀 편하게 만들어보자는 마음에서 들려준 영어 동요, 내가 좋아해서 자주 틀어놓은 클래식이 어쩌면 우리 아이 영어 귀를 뚫는 데 일조했는지도 모르겠다. 클래식을 많이 듣거나 연주하면 영어를 잘할 수 있다니 신기하고 재미있지 않은가?

이 이론대로 하자면, 우선 영어 듣기 연습을 꾸준히 한 다음에 말하기 연습으로 넘어가는 것이 좋다. 이것은 노래를 잘하려면 많이 들어야 한다는 것과 같은 맥락이다. 읽기나 쓰기와는 달리 말하기와 듣기는 여러분 자신의 몸, 귀와 성대를 바꾸는 과정을 필요로 한다.

## 아이는 '리듬'과 '비트'를 기억한다 : 동요와 챈트 활용하기

30개월 이전의 아이들이 유심히 듣는 것은 '리듬'과 '비트'다.

그리고 낱말의 주된 '첫 소리', 자음이다. 이 시기 아이는 tree, train, truck의 첫 자음인 t 소리를 구별해서 들을 수 있다. 그래서 아이에게 "Rain on a tree, rain on the grass, rain on a ground."라고 말하면 비트가 들어가는 "Rain~ tree, rain~ grass, rain ~ ground"만 아이의 귀에 꽂힌다. 말을 한참 따라하는 시기, 아이가 엄마 말을 따라할 때 어떻게 흉내 내는지를 잘 들어보면 이를 더 잘 알 수 있다. 즉 아이의 귀는 리듬과 비트에 집중한다. 강세가 들어가는 낱말의 첫 소리를 어설프게 따라하고 억양을 흉내 낸다.

조금 더 자라면 낱말의 주된 '첫 소리'인 자음뿐만 아니라 낱말의 '중간 소리'인 모음까지 식별할 수 있다. 예를 들어 'cat, bat, hat, mat' 이 모든 낱말에는 공통적으로 '애(æ)' 소리가 난다는 사실을 알게 된다. 더 나아가 'snake, stake, rake, bake' 이 낱말들에서 똑같이 '에이(eɪ) 소리가 난다는 것도 알게 된다. 본능적으로 알아차리는 것이다. 만 3세 이전의 아이들은 언어를 습득할 때 좌뇌와 우뇌를 모두 사용하기 때문에 분석적으로 '파닉스 원칙'을 가르쳐주지 않아도 직관적으로 흡수한다. 또한 리듬과 비트만으로도 그 규칙을 단번에 찾아낸다. 엄마는 한국어 단어 그림책을 읽어줄 때 그저 영어로 한 마디만 더 해주면 된다. "모자, 모자, 모자네! Hat! Hat! Hat!"

### ○ 아이의 한국어를 영어로 통역하기

평균적으로 18개월경, 아이의 어휘력은 폭발적으로 늘어난다. 우리가 흔히 '말을 잘한다'고 하는 것의 의미는 '표현 언어'의 양이 많다는 뜻이다. 반면 들어서 이해하는 언어, 즉 '수용 언어'는 풍부하지만 '발화'하지 않는 아이들도 많다. 혹은 발화가 서툰 아이들이 있고, 이는 다섯 살 때까지 개인차가 크다. 발화할 수 있는 언어, 즉 표현 언어를 기준으로 볼 때 18개월 아이는 50여 개의 낱말을 발화할 수 있는데, 이는 100여 개 이상의 수용 언어가 숨어 있다는 의미이기도 하다. 두 돌 정도가 되면 이 수용 언어는 폭발적으로 늘어 2000여 개가 된다. 물론 아이에 따라, 부모에게 받은 언어 자극에 따라 이 수용 언어의 양은 500~2000여 개로 다양하다.

목표를 이렇게 잡아보는 것이 어떨까? 18개월까지 아이가 발화 가능한 한국어 낱말 50개 만들기. 혹 발화는 아니더라도 아이가 머릿속에서 인식하고 있는 영어 낱말의 양이 50개가 될 수 있도록, 24개월에는 200개가 될 수 있도록 해보기. 이런 수치적인 목표를 재미삼아 세워놓으면 아이와 함께 해나가는 엄마표 영어 초보 시절에 생기가 돌 수 있다. 물론 아이마다 차이가 많기 때문에 30개월이 돼도 제대로 발화하는 단어가 몇 개 안 될 때는 조바심이 나기도 하고 '언어 치료를 받아야 하나?' 하는 극단적인 결론에 치닫기도 하는데, 대부분의 아이들은 기관 생활을 시작하는 5세가 되면 어느 정도 간단한 의사소통이 가능해지니 너무 조바심 내지 않았으면 좋겠다.

즉, 만 3세까지는 아이와 한국어와 영어로 어휘 놀이를 한다는 마음으로 가볍게 진행하면 좋다. 예를 들어 아이가 내뱉은 첫마디 말을 한-영, 영-한으로 바꿔본다. 앞에서 들었던 예처럼, 아이가 '물'이란 말을 처음 발화했다면, "Water?" "You mean water?" "You want some water?" 이렇게 한국어를 영어로 바꾸어 말해보는 것이다. 152~157쪽에 수록한 '만 3세 이전에 아이가 자주 하는 말을 영어로 바꾸기'는 우리 집 2호가 23개월 때 내뱉은 말들을 영어로 바꿔본 기록이다.

### ○ 단어 카드로 언어 자극하며 놀기

앞서 말했듯이, 아이가 두 돌이 되기까지 인지할 수 있는 단어의 양(수용 언어)은 최소 2000개에 달한다고 한다. 엄마는 끊임없이 주변 사물을 가리키면서 아이에게 반복적으로 그 단어를 들려준다. "엄마, 엄마" "사과, 사과", "물, 물" 이런 식으로. 게다가 아이가 단어를 따라하도록 기다려주기까지 한다. 아이는 같은 단어를 수없이 듣고, 때로는 입을 오물거리며 엄마가 내는 소리를 흉내 낸다. 우리 집 2호의 경우 그런 경향이 뚜렷했는데, 발음하기 어려운 단어일수록 혼자서 몇 번을 더 중얼거리면서 연습하는 '굳히기 작업'을 하곤 했다. 말이 빠른 아이는 두세 개의 단어를 조합해서 문장을 만들기도 한다.

한참 활발하게 언어를 주워 담아 익히는 0~만 3세 시기. 모국어든 영어든 엄마가 미리 아이의 어휘력 늘리기에 신경 써주면 나중이 훨씬 편하다. 단단하게 쌓인 단어 벽돌이 많으면 많을수록 아이는 새로운 언어에 대한 두려움이 없어지기 때문이다. 영어 역시 쌓아 놓은 어휘의 양이 많으면 외국어를 낯설게 느끼지 않는다. 외국어가 모국어처럼 잘 들리고 이해되기 때문이다. 아이는 간혹 들리는 '아는 단어'를 힌트 삼아 전체 이야기를 파악한다. '무슨 소리인지 대충 알겠는데?' 싶어야 이야기에 더 집중하고 내용을 이해하려고 머리를 굴린다. 결국 단어는 이야기를 집중해서 듣게 하는 연결 고리가 된다. 가령 엄마가 읽어주는 책 내용 중 'strawberry'라는 단어가 나왔다고 가정해보자. 이때 아이가 strawberry라는 단어를 알고 있다면 다음처럼 생각할 것이다. '아, strawberry란 말이 방금 나왔는데? 내가 좋아하는 빨갛고 새콤달콤한 딸기. 그런데 strawberry가 맛있다는 말인가? 좋다는 말인가? 엄마가 쩝쩝 소리 내면서 먹는 시늉을 하는 것을 보니까 나한테 딸기 좀 먹어보라고 묻는 건가?' 상황 속에서 실물을 보고 만지며 해당 단어를 오감으로 익히는 것도 좋지만, 단어만 나와 있는 그림책을 통해서도 자연스럽게 머릿속에 단어 벽돌을 쌓을 수 있다.

단어 벽돌은 그 언어에 대한 친화력, 이해력, 집중력에 불을 붙이는 연료다. 0~만 3세 아이들에게 언어 습득은 생존과도 같기 때문에 모든 아이들은 이 같은 '단어 인지 훈련'을 재미있어 한다. 공부라고 생각하지 않고 놀이라고 여긴다. 아이들은 본능적으로 엄마가 내뱉는 말을 귀로 듣고 눈으로는 엄마의 입 모양을 관찰하고 입으로 그 말을 흉내 내본다. 낱말 카드를 이용한 게임이나 놀이가 잘 통하는 시기도 바로 이때다.

자, 한글 낱말 카드만 보여주지 말고 영어 낱말, 영어 그림책도 틈틈이 보여주며 놀아보자. 모국어와 함께 크는 엄마표 영어의 시작이다. 우리 집 2호도 이 시기에 한창 단어 벽돌을 쌓았다. 모국어 단어는 2000여 개 정도, 영어 단어는 1000여 개 정도 인지하는 것으로 보였다. 머릿속에만 있는 단어들을 입 밖으로 꺼내는 연습도 꾸준히 했다. 1호, 2호가 한창 단어 벽돌을 쌓던 시기에 실천했던 방법들을 소개한다.

쉽게 이해가 되지 않는다면, QR코드를 통해 동영상과 함께 보길 바란다. 실제로 내가 1호, 2호와 함께 단어 벽돌을 쌓는 모습을 동영상으로 촬영해서 블로그에 올렸던 것이다. '새벽달책방'에 다시 한번 올려두었다.

○ **단어 그림책 읽고 따라 하기**

우리 집에는 단어 인지용 사물 그림책과 단어 카드가 한국어, 중국어, 영어 버전으로 다양하게 있었다. 나는 늘 그 책들을 거실 바닥에 뿌려놓고 아이가 집어 오는 대로 읽어주고 아이가 따라 하도록 유도했다. 이때 아이는 컨디션이 안 좋거나 단어가 너무 어려우면 엄마의 호응을 무시하고 딴청을 피우기도 하지만 대부분은 신나서 따라한다. 때로는 혼자 중얼거리면서 연습하기도 한다. 만약 성인이 이 시기의 아이들처럼 영어 단어를 계속 듣고 따라한다면 영어 말문이 금방 트일 것이다. 나이 들수록 과묵해지는 입이 문제다.

○ **영어 그림책 읽어주기**

단어 한두 개, 문장 한두 줄로 끝나는 간결하고 작품성 있는 그림책이 많다. 이런 책들은 단어 인지를 위해 만들어진 단어 그림책과는 달리 스토리가 있고 반복되는 라임이 있어서 아이들의 마음을 확 사로잡는다. 멋진 그림 덕분에 단어 벽돌이 저절로 쌓이는 건 당연지사.

○ **영어로 말 걸기**

생활 속에서 엄마가 간단한 영어로 아이에게 말을 걸어줄 수 있다면 금상첨화다. 만약 아이가 딸기(strawberry)를 먹고 있다면,

아래와 같이 반복해서 말해보자.

What are you eating?

**뭐 먹고 있어?**

Are you eating strawberries?

**딸기 먹어?**

Yes, you are eating a strawberry.

**맞구나, 딸기 먹네.**

Do you like strawberries?

**딸기 좋아해?**

I like strawberries too.

**나도 좋아해.**

I want to eat some strawberries.

**나도 좀 먹고 싶다.**

May I have a bite?

**한 입만 먹어도 돼?**

I can't wait!

**못 참겠다!**

strawberry만 열 번 이상 말해보자. 그럼 진짜 딸기를 먹고 있는 아이는 strawberry라는 단어를 수십 번 반복해서 들으니 이 단어를 절대 잊을 수 없다.

### ○ (알아들을 만한) 영어 소리 반복 듣기

[Wee Sing For Babies] 시리즈 영어 동요처럼 갓난아이 때부터 날마다 듣고 따라 불러 익숙해진 영어 소리를 반복적으로 들려주면 좋다. 또 엄마와 수백 번 읽어서 내용 파악은 물론, 전문을 외우다시피 한 영어 그림책 음원을 반복적으로 틀어주는 것도 좋다. 알아듣는 영어 소리의 반복적 노출은 아이가 이미 알고 있는 수용 언어를 강화해서 표현 언어로까지 쉽게 발화될 수 있도록 유도한다. 나는 아이에게 영어 그림책을 읽어줄 때마다 녹음을 했는데, 그 녹음 파일을 차를 타고 이동할 때, 거실에서 그림 그리고 놀 때 틀어주곤 했다. 언어는 반복이 중요한데 못 알아듣는 영어 소리를 흘려듣는 건 소음밖에 안 되지만 엄마와 늘 함께 읽던 영어 그림책, 늘 불렀던 영어 동요는 다 알아듣는 의미 있는 소리 노출이기 때문에 어휘가 강화된다. 아이에게 그림책을 읽어줄 때 녹음한 소리 파일을 들려주는 것도 좋다. 언제 어디에서든 영어 소리를 들려주는 것을 반복하면 아이가 습득하는 단어의 양을 차고 넘치게 만들 수 있다.

### ○ 만 3세 이전, 아이가 자주 쓰는 단문을 영어로 바꾸기

아이는 두 돌이 지나 세 돌을 향해가면 단어가 아닌 문장으로 발화하기 시작한다. 물론 문장이라고 해도 두세 단어가 조합된 간단한 단문이기 때문에 아이가 내뱉는 단문 정도는 엄마가 영어로 바꿔서 들려줄 수 있다. 앞서 소개한 것처럼 아이의 한국어를 영어로 순차 통역해주는 것이다. 뒤의 예문들은 우리집 아이들이 만 3세 이전에 주로 하는 말을 듣고 그 자리에서 바로 영어로 바꾼 것이다. 아이들은 자신이 한 말이므로 엄마의 영어를 정확히 알아듣고 익힐 수 있다. 아래 영어 문장을 입에 익숙해질 정도로 낭독 연습해서 아이의 한국어를 영어로 통역해주는 놀이를 해보는 건 어떨까? 아이의 문장 벽돌이 차곡차곡 쌓이지 않을까?

## 3세 이전에 아이가 많이 하는 말을 영어로 바꾸기

### 동사

뭐해요? What are you doing?

어디 가? Where are you going?

어디야? Where are you?

숨었어. You are hiding.

고마워. Thank you.

괜딴아(괜찮아). It's okay.

괜딴아(괜찮아)? Are you okay?

안아도(안아줘). Hug me.

안아 올려줘. Carry me.

뽀뽀. Kiss.

빨리 와! Hurry up!

이리 와! Come here!

이빠(이것 봐). Look!

여기야 여기. Here, here.

이거야 이거. This one.

먹어. Eat this.

기분 좋아? Are you happy?

냄빠(냄새 맡아봐). Smell it.

애기 울어. **The baby is crying.**

신발 신꼬(신어). **Put on your shoes.**

양말 신꼬(신어). **Put on your socks.**

신발 버꼬(벗어). **Take off your shoes.**

양말 버꼬(벗어). **Take off your socks.**

아, 더워. 버서버서(벗어). **It's hot! Take my clothes off.**

제주 제주(세수). **Wash your face.**

손 씨서(손 씻어). **Wash your hands.**

샤워 샤워. **Take a shower.**

치카치카 이 딱(이 닦자). **Let's brush our teeth.**

기저귀 빼. **Change the diaper.**

기저기 젖었어. **The diaper is wet.**

언더이 씨서(엉덩이 씻어). **Wash the butt.**

없다. **It's not here.**

있다. **Here it is.**

안 보여. **I cannot see.**

아포(아파). **It hurts.**

도심해(조심해)! **Be careful!**

위험해! **Danger!**

이거 뭐지(이건 뭐지)? **What's this?**

아니야, 이게 아니야. **No, not this one.**

이거 하자. **Let's do this one.**

누구야? **Who is it? Who are you? Who is (s)he?**

부릉부릉 타자(차 타자). **Get in the car.**

아빠 차 운딘해(아빠 운전해). **Drive the car.**

피아노 치(피아노 쳐). **Play the piano.**

야구해. **Play baseball.**

공 던지(공 던져). **Throw the ball.**

공 잡아. **Get the ball, catch the ball.**

잡았다. **I got it.**

공 떨어져(공 떨어졌다). **I dropped the ball.**

수깔 떨어져(숟가락 떨어졌다). **I dropped the spoon.**

물 흘리(물 흘렸어). **I spilled the water.**

물 노코(물뿌리개 통에 물 담자). **Pour some water in the watering can.**

꼬티 물죠(꽃에 물 주자). **Water the flower.**

나무 심짜(나무 심자). **Plant the tree.**

주세요. **Give me some ~.**
**Could you give me some ~, please?**

밥 주세요. **Give me some food, please.**

물 주세요. **Give me some water, please.**

오렌지 주세요. **Give me some oranges.**

까까 주세요(과자 주세요). **Give me some snacks/cookies/sweets.**

더 주세요. **Give me some more.**

더 더 더. **More more more.**

사가 깎아(엄마 사과 깎아)? **Are you peeling the apples?**

사가 컷(엄마 사과 잘라)? **Are you cutting the apples?**

사가 놓고(사과 접시에 놓고). **Put the apples on the plate.**

고만(그만 해). **Stop it.**

한 번만 더. **One more time.**

딱 한 번만 더. **Just one more time.**

제발! **Please!**

기다려. **Wait a moment, please.**

나도. **Me too.**

내가 내가(내가 할 거야). **Let me do it. I will do it.**

넘어져(넘어졌어). **I fell.**

부디치(부딪혔어). **I bumped my head.**

손 아야 다치(다쳤어). **My fingers got hurt.**

뚜껑 여러(뚜껑 열어줘요). **Open it please.**
**Open the lid please.**

이게 안 돼(이게 작동이 안 돼). **It's not working.**

코코아 다무따(다 먹었다). **I'm done drinking hot chocolate.**

커피 다무따(다 먹었다). **Mommy's done drinking coffee.**

다 했다. **I'm done.**

잠깐만(잠깐만 비켜줘). **Please move a little bit.**

걸어. **Walk.**

뛰어. **Run.**

운동 운동(운동하자). **Do some exercise.**

코 파 안 돼(코 파면 안 돼). **Don't poke your nose.**
**Stop poking your nose.**

앉아. **Sit down.**

일어나 앉아! **Sit up!**

일어나! **Stand up! Wake up!**

누워. **Lie down!**

### 형용사

마이떠(맛있어). **It's yummy!**

재밌다. **It's so exciting! It's fun.**

좋아요? **Do you like it?**

좋아. **Good. Great. Good job. Fantastic. Wonderful.**

우끼(웃기다). **It's funny.**

깜깜(깜깜해). **It's dark.**

매워. **It's spicy(hot).**

아뜨(뜨거워). **It's hot.**

저저(젖었어). **It's wet.**

지지(더러워). **It's dirty.**

간디러(간지러워). **It's itchy. It's ticklish.**

아깝다. **It was so close.**

꼬티 많다(꽃이 많다). **There are lots of flowers.**

차가 많다. **There are lots of cars.**

배고파? **Are you hungry?**

배고파. **I'm hungry.**

목말라? **Are you thirsty?**

예쁘다. **It's beautiful / pretty / cute.**

아, 따뜻해. **It's warm.**

아, 둏다. **It's good. It feels so good.**

최고 최고. **You are the best. I'm giving you two thumbs up.**

냄빼 좋다(냄새 좋아). **It smells good.**

내 꺼 내 꺼(내 거야)! **It's mine!**

무더워(무서워). **I'm scared. I'm afraid.**

# 5~7세, 영어 동요로 말에 대한 갈증을 해소하다

## 언어 치료 센터로 달려가는 엄마들에게 (5~7세)

5~7세. 아마 육아 인생 중 가장 많은 좌충우돌, 실수, 패닉이 일어나는 시기가 이때가 아닐까 싶다. 아이는 말이 어눌하고, 엄마는 엄마가 처음이라 갈팡질팡 우왕좌왕 엉망진창인 것 같은 느낌적인 느낌. 이런 상황에서 가장 쉽게 번지는 감정은 불안과 공포, 그에 따른 조급함일 텐데 이것이 육아 전반을 지배한다. 지나고 보면 시간이 해결해줄 것들(가령 기저귀를 떼는 거라든가 걸음마를 하는 것)이고, 일종의 사소한 '과정(발음이 어눌하거나 문장을 만들지 못하는 것)'에 불과한데, 이 과정 중에 나타나는 어떤 모습에 대해 엄마 스스로 아이가 틱 장애, 언어 장애, 주의력 결핍 장애

라고 단정하기 쉽다. 개인차가 크지만 36개월 무렵이 되면 대부분의 아이들이 두세 단어를 연결해 문장으로 의사 표현할 수 있다. 하지만 여전히 또래보다 말은 느리고 발음도 서툰 아이들이 있다. 한국 땅에서 나고 자라 한국어 소리 노출이 압도적으로 많은 환경에서 아이들은 '자기만의 때'에 한국어를 유창하게 하기 마련이지만 엄마들은 불안하다. 그 느림이, 서툶이 영원할 것만 같기 때문이다.

한국 나이로 4~6세이면 보통 어린이집이나 유치원 등과 같은 기관 생활을 시작하게 되는데, 엄마와 단둘이 보내는 생활을 마치고 단체 생활을 시작하면서 나타나는 부작용 중 하나가 '비교'일 것이다. 엄마들은 유치원 하원 길에, 동네 놀이터에서 귀를 쫑긋 세우며 예민하게 내 아이와 옆의 아이를 비교한다. 내 아이가 또래보다 말이 늦으면 발을 동동 구른다. 걱정과 불안은 극에 달하고, 결국 언어 치료 센터에 예약을 한다. 그러나 엄마가 신경을 쓰면 쓸수록 아이는 엄마의 긴장을 그대로 느끼고 더 위축되며 말은 더 나오지 않는다. 그래서 틱 증세를 보이는 아이들이 이 무렵에 많다. 이해하는 언어와 표현하는 언어의 간극을 차분히 기다려줄 엄마가 필요한 시기다.

말이 어눌해서 정작 가장 답답한 사람은 바로 아이 자신이다. 말귀는 다 알아듣는데 단지 말을 못 한다는 이유만으로 엄마의 불안한 눈빛을 견디며 긴장된 시간을 보내야 한다. 이때 이 아이들의 답답함과 긴장, 위축을 해소할 수 있는 좋은 언어유희 중 하나가 동요다. 말은 서툴지만 음악적 감각이 뛰어나고, 같은 노래를 반복해서 듣기를 좋아하는 만 3세 무렵 아이들은 동요를 금방 외워 버리고 끊임없이 반복해서 듣고 부른다.

## 영어가 낯선 아이에게 손 내미는 영어 동요의 힘 (5~10세)

모국어 동요가 말이 늦은 아이의 언어 갈증을 해소해준다면, 영어 동요는 영어가 낯설고 무서운 아이들에게 영어가 즐거운 음악이자 놀이라는 인상을 심어준다. 아장아장 걷기 시작하는 어린아이부터 학교에 막 입학한 초등학교 1학년까지 다 활용해볼 수 있는, 유통기한이 비교적 긴 영어 듣기 재료이기도 하다. 젖먹이 때는 잔잔한 영어 자장가를 불러주면서 아이에게 아름다운 멜로디가 영어 노랫말과 함께 스며들게 할 수 있고, 초등학교 1학년 때까지 영어 소리 노출이 전무해서 영어에 대한 공포와 긴장이 큰 아이에게도 영어 동요는 좋은 '첫 듣기 재료'가 된다. 영어는 즐겁고 재미있는 것이란 첫인상을 만들어주기 때문에 그야말로 실패율이 낮은 '효자템'이라 할 수 있다.

다만 방법적 측면에서 시대 차이가 있다. 아날로그 세대인 내가 아이들을 키울 때는 CD를 구입해서 들려줬지만 요즘은 대부분의 음원을 음악 플랫폼을 구독해서 듣거나 유튜브 영상과 함께 듣는다. 오른쪽 페이지에는 만 3~6세 아이들, 즉 미취학 아이들이 즐겨 듣는 영어 동요 관련 유튜브 채널 중 아이들에게 특히 인기 있는 채널들을 모아보았다. 우리 아이가 특히 좋아하는 채널이 한두 개 생기면 한시름 놓아도 된다. 엄마표 영어를 쉽게 지속할 수 있기 때문이다. 아이와 함께 영어 동요 채널을 살펴보고, 아이의 취향 저격 채널을 만났다면 반복적으로 들으면서 춤추고 놀면 게임 끝이다.

영어 소리에 전혀 노출되지 않은 초등학생의 경우 대부분은 영어 듣기를 어려워하고 거부하는데, 이 경우에도 영어 동요는 좋은 다리 역할을 해준다. 영어 소리에 한 번도 노출된 적이 없던 초등학교 1, 2학년 아들 둘을 키우는 한 워킹맘은 영어 동요의 힘을 믿고 6개월 간 아이에게 영어 동요를 들려주었다. 다만 처음 영어 동요 듣기라는 루틴을 세울 때에는 이 규칙에 대해 아이와 대화를 나눌 필요가 있는데, 이 엄마도 "오늘부터 우리 영어 동요 들으면서 영어와 친해지는 시간을 가져보도록 하자. 이것만 들어도 너희들 귀는 바로 뚫린데. 신기하지? 한번 실험해보자. 눈 딱 감고 3개월만 해보자."로 시작해서 하루에 30분 정도 영어 동요를 틀어놓고 실컷 춤추며 놀기를 3개월, 6개월 하고 난 뒤 본격적인 영어 그림책 읽기와 영상물 보기에 연착륙할 수 있었다고 한다. 첫 만남이 중요하다. 아이가 **'영어는 ① 노는 거네 ② 재미있네 ③ 쉬는 거네'**라는 인상을 가지도록 전략을 짠 그 워킹맘의 지혜가 빛을 발하는 순간이다.

### 참고해볼 만한 영어 동요 유튜브 채널

| | 유튜브 채널 | 유튜브 링크 |
|---|---|---|
| 1 | Super Simple Songs | https://www.youtube.com/c/supersimplesongs |
| 2 | Cocomelon | https://www.youtube.com/c/CoComelon/channels |
| 3 | Blippi | https://www.youtube.com/c/Blippi |
| 4 | Little Baby Bum | https://youtube.com/c/LittleBabyBum |
| 5 | Mother Goose Club | https://youtube.com/user/MotherGooseClub |
| 6 | Dave and Ava | https://youtube.com/c/DaveAndAva |
| 7 | Hi-5 World | https://youtube.com/c/Hi5World |
| 8 | BabyBus | https://www.youtube.com/channel/UCpYye8D5fFMUPf9nSfgd4bA/featured |
| 9 | Gecko's Garage | https://www.youtube.com/c/GeckosGarageTrucksForChildren |
| 10 | Pinkfong Baby Shark | https://www.youtube.com/c/pinkfong |
| 11 | Barefoot Books | https://www.youtube.com/channel/UCf_8ZTFvJeS8U60W8C8PGhA |
| 12 | Little Angel | https://www.youtube.com/c/LittleAngelVideo |

앞 페이지의 유튜브 채널은 '새벽달책방'에 모두 정리되어 있으니
다음의 QR 코드를 이용해 참고해보시길!

# 빠지기 쉬운 파닉스의 함정

## 읽을 줄 아는데 해석을 못 하는 아이 : 발음 읽기와 내용 읽기

"애가 파닉스를 몰라서 영어책을 못 읽나봐요."라는 이야기를 종종 듣는데, 엄마표 영어로 영어 소리 노출을 잘 하다가도 5~7세가 되면 빠지는 엉뚱한 함정이 바로 파닉스다. 결론부터 말하자면 파닉스를 몰라서 영어를 못 읽는 것이 아니라 영어 소리를 듣고 영어 텍스트를 읽은 양이 턱없이 부족하기 때문에 못 읽는 것이다. 영어 소리에 노출이 전혀 안 된 상태에서 파닉스를 배우면 이런 일이 벌어진다.

우리 집 1호가 다섯 살 때의 일이다. 한참 의욕적으로 아이에게 영어 환경을 만들어주던 때였다. 워킹맘이었을 때라서 아이와 함께 있는 시간이 절대적으로 부족한 탓에 유치원에서 집으로 돌아오는 길, 놀이터에서든 엘리베이터 앞에서든 어디에서든 아이에게 영어로 속닥속닥 한마디라도 더 해주려고 의식적으로 노력하던 시기였다. 그런 내 모습을 보면서 혀를 끌끌 차던 이웃 언니가 있었다. 말로는 "너도 참 극성이다." 했지만 본인도 내심 일곱 살이 되는 딸의 영어가 걱정됐는지 어느 날 갑자기 영어 유치원에 등록했다는 소식을 전해왔다. ABCD도 모르는 아이를 영어 유치원에 보냈다는 말에 걱정이 됐는데, 1년 후 언니는 나에게 상기된 얼굴로 말했다.

"ABCD도 모르던 애가 1년 사이에 영어책을 줄줄줄 읽어! 돈이 좋긴 좋네!"

그런데 얼마 후 한 가지 문제가 생겼다며 상담을 해왔다. 애가 영어 그림책을 소리 내어 줄줄줄 읽긴 읽는데 무슨 내용인지 모른다는 것이었다.

이렇게 문자를 '낭독(read aloud)'만 할 줄 알고 '해석(reading for comprehension)'을 못 하는 경우를 종종 보게 된다. 영어 소리 노출이 전혀 없거나 부족한 아이들이 영어 유치원에서 1년 동안 파닉스 교재로 공부할 경우 일어나는 전형적인 결과다.

일본어의 '히라가나'에 비교하면 이해가 쉽겠다. 나는 히라가나의 글자(영어로 치면 알파벳) 하나하나의 음가를 알고 있다. 그래서 일본어 히라가나를 소리 내어 읽을(낭독) 수는 있다. 하지만 내가 읽는 그 일본어가 무슨 말인지는 전혀 모른다. 축적된 일본어 단어, 문장이 없기 때문이다. 한국어를 배우는 외국인에 비유할 수도 있다. 한글 19개의 자음과 21개의 모음의 음가를 외우고 익힌 외국인은 서울 거리의 간판 글자를 곧장 읽어낼 수 있고, 한글 자막을 소리 내어 읽을 수 있지만 그게 무슨 의미인지는 모른다. 소리 내어 읽을 수 있음, 즉 '디코딩(decoding)'과 자신이 방금 읽은 문장의 의미를 이해하는 '문해력(literacy)'은 엄연히 다르다는 말이다. 쌓인 한국어 소리의 양과 읽은 양이 적다면 한글을 소리 내어 읽을 수 있을지언정 여전히 '내용 읽기(literacy)'는 안 되는 것이다.

따라서 읽기 능력은 두 가지로 구별해야 한다. 글자를 기계적으로 낭독하는, 즉 글자를 보고 파닉스의 원칙에 맞춰 발음으로 읽는 디코딩 능력과 글자를 읽으면서 (묵독이든 낭독이든) 그 글자와 문장의 의미를 파악하며 읽는 문해력, 이 두 가지를 구별해서 말해야 한다. 우리가 목표로 하는 읽기 능력은 전자가 아닌 후자라는 걸 고려해볼 때, "파닉스를 알아야 읽기가 된다."라는 말은 어쩌면 이렇게 바꿔야 의미가 정확하겠다. "파닉스를 알면 글자를 소리 내어 읽을 수 있다."

## 파닉스 교육의 허와 실

파닉스 교육이란 소리와 문자와의 상관 관계를 배우는 방법이다. 예를 들어 a라는 모 음이 '|æ|애, |a:|아, |eɪ|에이'라는 여러 가지 소리를 낸다는 것을 배우는 것이다. apple은 '애플'이라고 읽고 여기에서 a는 '|æ|애' 소리가 난다. car는 '카알'이라고 읽고 이때 모음 a는 '|a:|아' 소리가 난다. 뱀을 의미하는 snake는 '스네이크'라고 읽고 a는 '|eɪ|에이' 소리가 난다. 이런 식으로 소리와 문자와의 관계를 배우는 것이 파닉스다. 이는 '구두 언어(oral language, 듣고 말하는 언어)'에서 '문자 언어(written language, 쓰는 언어)'로 넘어가는 단계에서 다리 혹은 보조 역할을 한다.

한글은 글자 하나하나가 '하나의 소리'를 담고 있어서 예외가 없다. 따라서 자음 19개와 모음 21개, 40개의 문자를 이용해서 우리가 낼 수 있는 모든 소리를 정확하게 표현할 수 있다. 때문에 외국인이 한국어를 배울 때, 비록 한국어 소리 인풋이 턱없이 부족하더라도 한글 파닉스를 배우면서 동시에 듣고 말하는 연습을 하면 수월하게 한글을 익힐 수 있다. 그러나 영어는 그게 잘 통하지 않는다. 영어 파닉스 원칙과 예외를 배우는 과정 자체만으로 진이 빠져버리고 만다. 소리 인풋이 전혀 없는 상황에서 배운다면 힘들 수밖에 없다. 또한 원리를 안다는 것과 그 원리를 활용해서 말을 한다는 것은 또 다른 문제다.

그러므로 영어 파닉스를 배우기 전에 선행되어야 할 것은 바로 이 구두 언어, '영어 소리'에 익숙해지는 것이다. 그래야 문자를 봤을 때 머릿속에 입력되어 있던 수많은 소리와 그 어휘가 연결되면서 각 알파벳이 가진 음가를 저절로 알게 되고 단어(words), 구(phrase)를 읽게 되고, 더 나아가 문장(sentence)을 읽게 된다. 이런 훈련이 쌓이다 보면 책을 읽을 수 있다. 아이에게 누적된 영어 소리가 별로 없다면 cat이라는 단어를 들이밀고 다짜고짜 "크크크-애애애-트트트, 캣!"이라고 말해봤자 의미 없다. 차라리 고양이 그림이 그려진 단어 카드를 보여주고 고양이 소리를 내면서 "캣!" 하고 말하는 편이 훨씬 낫다. 아니면 고양이가 주인공으로 나오는 짧은 리더스북을 읽어주고 cat이란 단어를 수없이 마주하게 함으로써 아이가 자신도 모르게 cat이란 단어를 듣자마자 고양이가 연상되도록 하는 게 낫다.

> 미국의 진보적인 교육학자들은 파닉스 교육이야 말로 아이의 능력을 무시한 교육이며, '파닉스보다 다독'이란 캠페인을 벌인 지 오래다. 미국 공립 초등학교가 전국적으로 초등학교 1학년에서 길게는 3학년까지 파닉스에 열을 올리는 까닭에 대해 어떤 학자는 '돈' 때문이라고, 출판업계의 로비 때문이라고 신랄하게 비판하기도 한다. 대형 영어 교재 출판사들을 먹여 살리는 것이 바로 이 '파닉스'이고 그들의 로비와 영향력은 어마어마해서 미국 초등 교육 정책까지도

좌지우지할 정도라는 것이다.

### ○ 파닉스 말고 이름 읽기

우리 아이에게 지금 파닉스 교육이 적기인지 여부를 판단하려면 한 가지만 관찰하자. 아이가 파닉스 학습서를 앉은 자리에서 다 풀어버리거나, "아! 이제야 속이 뻥 뚫린 것 같아!" 하며 좋아하고 재미있어 한다면 파닉스 교육의 적기라는 의미다. 하지만 파닉스 학습서 한 페이지를 푸는 데도 몇 십분씩 걸리면서 아이가 힘들어한다면 멈춰야 한다. 아이에게 '실패의 경험'을 만들어주면서까지 고수할 교육 방법은 아니라는 말이다. 파닉스는 식은 죽 먹기여야 할 만큼 쉬워야 하고 파닉스가 어렵다면 영어 소리 노출이 아직 많이 부족하다는 뜻이다. 파닉스 교육이 오히려 영어에 대한 아이의 감정을 부정적으로 만들고 자신감을 떨어뜨린다면 당장 멈추고 아이가 좋아하는 영어 그림책으로, 부담없이 시청할 만한 영어 영상물로 방향을 전환해야 한다.

파닉스 무용론자인 내가 권하고 싶은 것은 '통 문자' 읽기다. 모국어인 한글을 뗄 때의 아이들을 떠올리면 이해가 쉬울 것이다. 문자에 전혀 관심 없는 아이라 할지라도 시선이 자꾸 문자로 가는 경우가 있는데, 그건 바로 유치원에 입학해 단체생활을 시작할 때부터다. 예를 들어 유치원 사물함과 신발장에 꼬물꼬물 적힌 글자가 알고 보니 내 이름이고 친한 친구의 이름이라면? 날마다, 사물함을 지날 때마다 신발장에 신발을 넣을 때마다 반복해서 보게 되는 그 글자는 특별하다. 내가 좋아하고 날마다 부르는 내 친구의 이름이기 때문에 그렇다. 그렇게 해서 알게 된 글자들이 하나둘 늘면서 어느새 아이는 간판을 읽고 화면 속 자막을 읽을 수 있게 된다.

### ○ 나만의 특별한 '이름' 낱말 카드 놀이

낱말 카드 놀이를 할 때 '이름'을 공략하면 좋다. 예를 들어 아이가 공룡을 좋아한다면 공룡 이름 카드를 만들어보는 것이다. 우리 집 1호도 다섯 살 무렵에 공룡을 워낙 좋아해서 각종 공룡의 이름을 외우곤 했는데 그때 알았다. 아이가 한글을 읽을 수 있다는 것을. 아직 문맹이라고 생각했던 아이는 '티라노사우루스' '안킬로사우르스' '벨로시랩터' 같은 공룡의 이름을 줄줄 읽고 썼다. 만약 아이가 포켓몬을 좋아한다면 포켓몬에 등장하는 수십 종의 포켓몬 이름을 카드로 만들어 놀아보자. 한글 떼는 건 시간 문제다.

이름을 이용한 낱말 카드 놀이는 아이의 취향에 따라 만들기 나름이다. 예를 들어 유치원 친구들의 이름이 적힌 '글자 카드'와 사진으로 만들어진 '그림 카드'를 마련하고, "김철수!" 하고 외치면 '김철수'란 글자와 철수 사진이 새겨진 카드를 먼저 잡은 사람이 그 카드 두 장을 가져간다. 모은 카드가 많은 사람이 승자다.

아이가 공룡을 좋아한다면 공룡 이름으로 글자 카드와 그림 카드 세트를, 자동차를 좋아하면 전세계 자동차 브랜드의 자동차 모델명과 사진으로 글자 카드와 그림 카드 세트를 만들어 맞추기 게임을 하면 된다. 이렇게 하면 카드의 종류는 무궁무진해질 수밖에 없다. 관건은 영어 교재나 학습서 속 단어들이 아니라 내 아이가 홀릭하는 '그것'에 관한 낱말 카드여야 한다는 것이다. 내 아이와 직접적으로 연결되어 있는 것이어야 한다는 것. 그제야 진정한 '배움'이 일어난다.

영어의 경우는 평소 아이가 즐겨 읽는 영어 그림책의 '제목'을 가지고 카드로 만들어볼 수 있다. 5~7세 아이들은 좋아하는 그림책은 몇 십 번이고 반복해서 읽는 성향을 보이기도 하고, 몇 번 안 읽었지만 제목을 쉽게 기억하기도 한다. 그 점을 이용하는 것이다. 예를 들어 아이가 즐겨 읽었던 책 제목이 『Don't Let the Pigeon Drive the Bus』라면, Don't / Let / the / Pigeon / Drive / the / Bus 카드를 만든 다음, 카드를 흩어놓고 제목을 완성하는 데 걸리는 시간을 잰다. 누가 빨리 제목을 완성하느냐에 따라 승패가 갈린다. 이런 게임을 통해 단어를 조합해서 책 제목을 만드는 것이 익숙해지면 책 제목 카드를 늘려 대여섯 권의 책 제목 단어를 섞고 "누가누가 해당 책 제목을 많이 완성하나" 같은 게임을 해보는 것도 좋다.

낱말 카드를 아이와 함께 만들어도 좋다. 아이가 아직 글자를

# 만 3세 이후,
# 영어 영상물이 일으킨 놀라운 변화

## 핀란드인이 영어를 잘하는 진짜 이유

핀란드는 조기 교육 열풍도 없고 초등학교 입학 전 문자 교육도 거의 하지 않는다. 하지만 OECD 국가 중 국제학업성취도 평가(PISA) 1위, 영어 구사력 3위를 자랑한다. 국민의 70퍼센트 이상이 영어를 자유롭게 구사하기로 유명하다. 조기 교육, 영어 교육 없이 어떻게 이런 성과가 가능할까? 매체에서는 기껏해야 "핀란드, 공교육이 달랐다." "쓰고 읽기 위주의 문법식 영어 교육이 아니라 듣고 말하기 위주의 교육이 주효했다." 등의 이야기를 하지만 고작 하루에 한 시간, 주 몇 회 진행되는 학교 영어 수업으로 아이의 영어가 유창해지는 기적은 일어나지 않는다. 혹자는 유럽의 언어는 라틴어와 뿌리를 같이 하기 때문에 유럽 사람들이 영어를 잘하는 것이라고 쉽게 말하지만 정말 그럴까? 그렇다면 한국어와 어순, 문법 구조, 심지어 단어의 뿌리도 한자어로 같은 일본어는 어떻게 설명할 것인가? 단순히 그 이유만으로 한국인이 일본어를 유창하게 잘하는가? 게다가 우리의 편견과는 달리 핀란드어는 한국어와 같은 알타이어 계열의 언어다. 즉 핀란드어도 영어와 어순이 다르고 단어의 뿌리도 다르다.

핀란드인이 영어를 잘하는 진짜 비결은 놀랍게도 '핀란드 공중파 TV 방송'에 있다. 핀란드는 TV 방송의 80퍼센트를 미국에서 수입하는데 예산 문제로 더빙이 어려워 영어 소리를 그대로 내보낸다. 그러니까 핀란드의 어린이들은 초등학교에 입학하기 전, 0세부터 6세까지 날마다 '어쩔 수 없이' 영어 소리에 노출되는 셈이다. 언어 습득 장치가 활발하게 작동하는 이 시기에 아이들은 영어 소리를 모국어 못지않게 자주 듣고 자랄 수밖에 없고, 영어에 익숙한 상태로 초등학교에 입학하게 된다.

즉, 영어 소리에 꾸준히 노출되어온 핀란드 아이들은 이미 영어 인풋의 양이 풍부하고 뿌리(intake)가 이미 단단하게 형성되어 있는 셈이다. 이런 경우라면 공교육에서 진행하는 파닉스 수업이 의미 있고 효과가 있다. 영어 소리가 충분히 축적되어 익숙할 뿐만 아니라 그 의미까지 다 알아듣는 수준이기 때문에 학생은 소리(sound)와 문자(letter)의 상관관계를 가르치는 파닉스 원리를 단숨에 깨우칠 수 있다. 결국 우리와 영어 교육의 출발선이 다른 셈이다. 여기에 더해 잠자리에서 부모가 아이에게 그림책을 읽어주는 문화가 있는 만큼 핀란드 아이들은 언어 학습 능력이 전반적으로 뛰어나다.

그래서 우리나라 EBS 어린이 방송을 볼 때마다 늘 아쉬운 것이 한국어 더빙이었다. EBS는 미국의 교육방송인 PBS에서 좋은 어린이 프로그램을 수입해서 모두 한국어로 더빙해 방영해왔는데 만약 그 프로그램들을 한글 자막을 쓰면서 영어 그대로 방영했다면 어땠을까? 우리나라 어린이 영어 교육의 판도가 바뀌지 않았을까? 많은 어린이들이 영어 방송 시청을 통해 자연스럽게, 부담 없이 영어 소리에 노출될 수 있지 않았을까? 영어 소리 노출의 기회가 모두에게 좀 더 열려 있지 않았을까?

## 영어 자막 유용론

한때 엄마들 사이에서 유행처럼 번졌던 영어 학습법 중 하나가 '무자막 영화 보기'였다. 영화 한 편을 봐도 자막이 있는 것보다 무자막으로 봐야 한다는 것이었는데 왠지 설득력이 있게 들린다. 아이가 영어 영상물을 무자막으로 한 시간 이상 얌전히 보고 있으면 그 영상 속 영어가 다 아이 것으로 흡수된 것처럼 뿌듯하고 아이의 영어 듣기 실력이 쑥쑥 늘 것만 같다. 그러나 문제는 자막의 유무가 아니라 아이가 영상물의 영어를 얼마나 이해하고 보느냐이다. 아이가 영어를 접한 시간이 길어, 즉 축적된 영어의 양이 상당하고 영어 뿌리도 단단하다고 가정해보자. 즉 영어 영상물의 80~90퍼센트를 편안하게 알아듣고 이해할 수 있는 수준이라면 자막은 있어도 되고 없어도 된다. 아이는 그 자막이 한글이든 영어든 자막에 의지할 필요가 없기 때문에 영상물 자체를 즐길 수 있다. 어린이 시청자를 겨냥해서 만든 교육용 TV 프로그램이나 애니메이션의 경우 어느 정도 영어가 익숙한 아이들은 자막 없이도 편안하게 내용을 이해하며 들을 수 있다.

문제는 영상물 속 영어의 반 이상을 놓치고 못 알아듣는 경우다. 영어 소리가 충분히 쌓이지 않은 상태에서 쏟아져 들어오는 영어는 소음에 불과하다. 놓치는 내용이 절반 이상인데 무자막으로 영상물을 본다 한들 무슨 의미가 있겠는가? 이런 경우에는 오히려 자막의 도움이 필요하다. 자막을 야무지게 활용해야 한다. 특히 영화는 대사도 많고 스토리 전개도 빨라 모든 영어 대사를 100퍼센트 완벽하게 이해하기는 어렵다. 미국 교육방송 PBS에서 방영하는 어린이 프로그램과는 다르다. 러닝 타임이 길고 어른 관객까지 고려해서 만든 디즈니 영화 같은 경우에는 오히려 영어 자막을 권한다.

영어 자막이 있으면 영어 문장, 영어 단어들을 눈으로 확인할 수 있기 때문에 놓치는 내용을 줄일 수 있고 스토리 전개를 보다 명확하게 파악할 수 있다. 반복적으로 나오는 표현이나 단어는 저절로 외워지기도 한다. 물론 이 같은 효과를 보려면 우선 영어 읽기가 가능해야 하고, 속독을 할 줄 알아야 한다. 순식간에 지나가는 영어 자막을 놓치지 않고 읽으려면 말이다. 그러니 영어 자막을 선택해 영화를 보는 것도 어느 정도 영어 듣기가 되고 영어 읽기도 속독이 되는 사람만이 누릴 수 있는 호사일 수 있다.

영어 듣기와 읽기 실력이 200~300페이지 정도의 원서를 편안하게 청독할 수 있는 수준의 아이라면 영어 자막은 '청독'과 비슷한 효과를 가져온다. 듣기와 영어 자막 읽기를 동시에 하는 것이다. 이는 자신의 독서 레벨보다 높은 수준의 원서를 읽을 때 자주 쓰는 영어 독서법인데, 이 과정을 통해 독서 레벨과 듣기 실력을 동시에 높일 수 있다. 영어 자막을 보면서 영화를 보는 것은 바로 이 청독을 2~3 배속으로 하는 것으로 비유할 수 있다.

## 한글 자막 유용론

영어 읽기 실력도 듣기 실력도 약한 경우라면 영어 자막을 보는 것도 벅차다. 아니 눈에 들어오지도 않는다. 아무 소용없고 의미 없는 일이다. 이럴 때는 '한글 자막'의 도움을 받아야 한다. 한글

자막을 띄우고 영어를 들으면 무자막 상태에서 전혀 들리지 않던 문장도 한글 자막의 도움으로 몇 개씩 들린다. 영어를 좀 한다고 해도 익숙하지 않은 소재의 영미권 드라마, 의학물이나 탐정물, 시대물을 영어로 들을 때 당황하게 된다. 이런 경우 한글 자막을 보면 우선 내용을 이해할 수 있기 때문에 우리 뇌는 영어 문장 구조나 표현, 단어들에 집중하게 되고, 순간적으로 그런 표현들을 인상 깊게 기억한다. 곧 능동적 진짜배기 영어 듣기가 된다. 자막의 힘은 생각보다 크다.

영어 읽기, 듣기 인풋이 약한 아이에게 무자막으로 영화를 보여주는 것은 의미 없는 '흘려듣기'가 될 수 있다. 마치 이제 한두 줄짜리 리더스북을 읽는 초등학교 2학년생에게 700페이지 넘는 [해리 포터] 시리즈 원서를 속독하라고 던져주는 것과 같다. 이런 경우라면 한글 자막과 함께 보는 것이 더 의미 있다. 즉 자막을 활용하지 않을 이유가 없다는 이야기다. (단, 귀가 닫혀 있는 성인의 경우는 다르다. 백날 한글 자막과 함께 영화를 본다 해도 그 영화 속 영어 소리가 귀에 들어오지 않고, 오히려 한글 내용이 듣기를 방해해서 영어 듣기 실력 향상에 도움이 되지 않는다. 성인은 다른 식의 듣기 훈련이 필요하다.) 결국, 영어 영상물을 어떻게 보여줄지 결정하는 기준은 '아이의 영어 듣기 실력'이다. 자막의 유무와 종류는 아이의 영어 듣기 실력에 따라, 또 영상물의 영어 난이도에 따라 엄마가 유연하게 결정해야 한다.

때로는 아이가 먼저 요구하기도 하는데, 이런 경우라면 고민할 게 없다. 아이의 요구대로 따르면 되기 때문이다. 목 마른 아이가 우물 파듯 "엄마 한글 자막 틀어주면 안 돼?" 요구한다면 이는 내용을 좀 더 정확히 알고 싶다는 신호를 보내는 것이니 기꺼운 마음으로 한글 자막을 틀어주자. 어른처럼 한글 자막에만 의존하지 않고, 귀를 쫑긋 열고 영어 소리와 한글 자막 내용과의 상관관계를 분석하고 흡수하는 어린이의 귀(뇌)의 힘을 의심하지 말고 믿어야 한다. 아이가 영어 자막을 요구한다면 이는 정확한 영어 단어, 문장이 궁금해서 그런 것이다. 한글 자막을 요구하는 경우보다 영어 듣기 레벨이 높은 아이의 반응인 만큼 더 흔쾌히 수용해서 틀어줘야 한다.

우리 집 2호는 1호에 비해 말이 빨랐고 한글도 나도 모르는 새 스스로 뗐다. 차창 너머로 보이는 간판 속의 한글을 한 자 한 자 읽는 걸 보고 2호가 한글을 읽는다는 사실을 알게 됐다. 깜짝 놀라서 언제부터 한글을 읽을 수 있었냐고, 어떻게 읽게 된 거냐고 물으니 2호는 이렇게 답했다.

"《무한도전》이랑 《1박 2일》 보면 거기 화면 밑에 한글로 뭐라 뭐라 적혀 있잖아. 그거 보고 알았는데?"

『하루 15분, 책 읽어주기의 힘』이라는 책에서 저자는 두뇌에는 시각 인지체가 청각 인지체보다 30배나 많고, 성인은 거추장스러운 자막을 걸러내는 습관을 가지고 있지만, 아이들은 TV에서 나오는 소리와 화면 하단의 자막 사이의 연관 관계까지도 모두 수용한다고 말한다. 세 시간 동안 화면 속에 등장하는 단어의 수는 성인이 일간지나 주간지에서 읽는 것보다도 많다고. 책이나 화면의 자막을 아직 읽지 못하는 유아와 취학 전 아동에게 자막은 소리와 하나가 되어 아이에게 흡수되는데, 결국 TV의 등장인물이 아이에게 자막을 소리 내어 읽어주는 셈이라는 이야기였다.

## 영어 자막, 한글 자막이 독이 되는 경우

모든 아이들이 영어 영상물, 한글 자막, 영어 자막의 효과를 얻는 것은 아니다. 영어 영상물과 자막의 기적 같은 효과는 영어 듣기가 이미 거의 완성된 아이들, 영어 귀가 뚫려 웬만한 영어 영상물은 편안하게 듣고 이해할 수 있는 아이들만이 누리는 호사다. 쌓아 놓은 영어 인풋, 즉 영어 벽돌, 영어 문장, 영어 소리가 거의 없어서 당장 영어 영상물을 봐도 이해가 잘 안 된다면 자막은 아무 의미가 없다. 오히려 이런 상황에서 한글 자막은 영어 듣기를 방해할 수 있고 영어 자막도 의미 없다. 영어 소리와 자막이 연결되지 않고 속독도 불가능하기 때문이다. 한글 자막이 그나마 낫겠지만 이것도 영상물 내용을 한국어로 파악하는 것이지 영어로 받아들인다고 말하기는 어렵다. 물론 "Oh, no! Watch out!" 같은 정도는 "안 돼! 조심해!"로 연결지어 파악할 수 있겠지만 이 단어 두 개를 익히기 위해 한 시간도 넘는 영어 영상물을 보여줄 엄마는 없지 않을까?

## 영어 영상물 속 영어를 알아듣지 못하는 아이들을 위한 대안

모 유명 사이트에서 시작되어 잘못 쓰이고 있는 용어 중 하나가 '흘려듣기'다. 그 사이트에서 말하는 흘려듣기란 '영어 영상물 시청'을 의미했다. 즉, 영어 영상물 노출을 통해 영어 소리를 듣는 행위를 흘려듣기로 표현한 건데, 정확히 짚어보자면 아이의 영어 습득에 유의미한 듣기가 되려면 이 말의 뉘앙스대로 '대충 흘려들어서'는 안 된다. 오해를 줄이기 위해 나는 '흘려듣기'라는 말 대신 '몰입 듣기'라는 말을 사용하고 싶다.

아이의 귀는 성인의 귀와 달라 영상물을 시청할 때 집중해서 소리의 의미를 찾는다. 아직 글자를 못 읽는 아이일수록 더 예민하게 소리를 듣고 의미를 파악하려고 애쓴다. 그러므로 아이들의 영상물 시청은 자연스럽게 '대충 흘려듣기'가 아닌 '몰입 듣기'가 되는 셈이다. 그럼에도 불구하고 의미 없이 흘려듣기가 되는 경우가 있는데, 이는 영상물의 영어 속도, 내용, 어휘가 아이의 이해 수준을 넘어설 정도로 버거운 영상일 때 그렇다.

그렇다면 아이가 영어 영상물을 제대로 이해하고 있는지 그 여부는 어떻게 알 수 있을까? 사실 그것은 아이의 행동만 잠깐 관찰해도 충분히 파악할 수 있다. 아이의 눈이 화면에 고정되어 있고 엉덩이는 바닥에 붙어 있으면서 "엄마, 다음 에피소드 하나만 더 봐도 돼?"라는 식으로 지속해서 시청하기를 요구한다면 아이는 그 영어 영상물 대부분의 내용을 이해하고 따라가고 있다는 방증이다. 이런 영상물 시청이 매일의 루틴이 되어서 오전, 오후 한 시간씩 영상물을 통한 다량의 영어 소리 인풋이 쌓인다면 아이의 귀는 곧 원어민 또래 아이가 듣는 수준으로 발전할 것이다.

만약 영상물 속 영어가 잘 안 들려 스토리를 따라가지 못할 정도로 이해가 안 된다면 아이들은 즉각 행동으로 신호를 보낸다. 바로 영상물을 꺼버리거나 "엄마, 재미없어(무슨 말인지 못 알아듣겠어. 알아듣기 힘들어,라는 신호를 보내는 것), 안 볼래!"라고 직접적으로 말을 통해 표현하기도 한다. 4~5세 때부터 '영상물은 영어로만 보기'라는 원칙을 실천하는 분위기에서 자란 아이들의 경우 7세 무렵이 되면 어느 정도 듣는 귀가 뚫려서 또래 원어민 아이들이 즐겨 보는 만화, 영화, 교육 프로그램을 부담 없이 볼 수 있다. 그런 경우라면 넷플릭스나 디즈니+ 같은 OTT 서비스를 적극 활용할 수 있다. 우리 아이가 넷플릭스의 웬만한 어린이 프로그램을 영어로 듣고 즐길 수준이 되었다면 엄마표 영어의 8할은 성공한 셈이다.

문제는 어려서 영어 소리 노출이 전혀 안 된 상태에서 처음 영어를 만나는 초등학교 1년차 이상의 아이들이다. 이미 모국어 읽기 쓰기가 완성된 이 친구들에게 영어는 이질적인 소리이기 때문이다. 이 경우 아이들은 영어 귀가 닫혀 있는 상태이기 때문에 영어 영상물 시청을 거부할 가능성이 높다. 어떻게 하면 영어에 대한 이질감, 거부감을 줄여 영어 소리에 계속 노출될 수 있도록 할 수 있을까?

### ○ 영어 동요로 시작하기

여러 번 이야기했지만 영어 동요는 실패율이 비교적 낮은 좋은 영어 재료다. ABCD도 모르는 초등학교 1~4학년을 대상으로 영어 수업을 한 적이 있는데, 그때 아이들에게 처음 들려준 영어 소리도 역시 'Super Simple Songs'라는 유튜브 채널의 영어 동요였다. 유튜브에는 구독자 1000만 명을 자랑하는, 전세계 아이들에게 사랑받는 노래, 챈트로 구성된 키즈 채널들이 있다.

영어 동요 영상은 노래의 가사를 움직이는 그림으로, 직관적으로 보여주기 때문에 한국어로 굳이 해석하지 않아도 노래를 들으면서 바로 이해할 수 있는 큰 장점이 있다. 동요 특성상 같은 문장이 반복되는 데다 멜로디가 있기 때문에 아이들은 순식간에 가사를 외운다. 무엇보다 영어 동요를 부르는 것은 공부가 아니라 놀이로 여겨 아이들은 자신도 모르는 새 영어 소리를 이질적으로 느끼지 않는다. 또한 영어 동요를 외워 부름으로써 상당히 많은 양의 어휘를 자연스럽게 익히게 되기 때문에 언어 습득이라는 측면에서도 효과가 크다. 엄마표 영어를 처음 시작하는 아이라면 나이가 몇 살이든 간에 '영어 동요 영상물'로 시작하기를 권한다.

### ○ 영어 그림책을 애니메이션으로 만든 영상물 시청

아동문학계의 노벨상이라 불리는 칼데콧, 뉴베리, 케이트 그린어웨이 등을 수상한 영어 그림책 중에는 소장 가치가 있는 귀한 작품이 많다. 리더스북에 비해 훨씬 철학적, 문학적, 예술적으로 잘 만들어진 이 수상작들을 우리는 편의상 '픽처북(picture books)'이라고 부른다. 이런 예술성 있는 픽처북을 아이들이 잘 청독한다면 고맙지만, 사실 이 픽처북은 리더스북에 비해 사용되는 어휘가 어렵기 때문에 진입 장벽이 높은 편이다. 물론 개중에는 글자 없는 그림책, 한 단어만으로 이어지거나 한 줄짜리 그림책 등 다양한 작품들이 있지만 대부분은 소위 말해 '문학 작품'인데다 어휘도 어렵고 문형도 친절하지 않다.

그러나 다행히 매체가 발달한 덕분에 애니메이션으로 만들어진 경우가 많아 생각보다 쉽게 이 작품들과 친해질 수 있다. 그러니 영어 학습과 문학적 감수성, 두 마리 토끼를 잡을 수 있는 픽처북에 관심을 가져보자. 영미권 엄마들도 비슷한 생각을 했을지 모른다. 그래서인지 픽처북뿐만 아니라 유명한 작품들은 영상물로 제작된 것이 많다. 유튜브에 책 이름을 검색하면 방금 아이에게 읽어줬던 그림책의 영어 동영상을 찾을 수 있다. 그냥 낭독해주는 영상이 아니라 정말 애니메이션으로 제작된 영상도 많다. 영어가 서툰 아이들은 영어 그림책 한 번 읽어주고 끝내지 말고 이런 움직이는 영어 그림책 영상을 함께 보여준다면 학습 효과가 클 것이다.

이런 동영상을 저장하거나 녹음해서 수시로 들려주는 것도 좋은 방법이다. 이미 한 번 읽었던 영어 그림책의 내용을 담고 있기 때문에 동영상 속 영어를 거의 90~100퍼센트 알아듣는다. "엄마, 무슨 말인지 알아듣겠어! 영어가 다 들려!" 이런 성공 경험을 날마다 쌓아보자.

### ○ 영화 스크립트 청독하기
### : 눈으로 대본 읽으면서, 귀로는 음원 듣기

"우리 애는 초등학교 6학년인데 영어 그림책으로 영어를 배우기엔 좀 늦었지 싶어요."

이렇게 생각하는 분들에게 권하고 싶은 방법은 바로 '영화 스크립트 청독'이다. 이 방법은 2000년도 엄마표 영어 유행이 일어나기 전부터 조용히 진행되어 온 '가정 영어 독학법'으로, 영화의 모든 대사를 외울 정도로 반복해서 듣고 또 들어 영어 귀를 트이게 하는 방법이다. 요즘은 예전보다 더 쉽게 영화 파일이나 스크립트를 구할 수 있고, 유튜브에 올라와 있는 다양한 영화 소개 채널을 시청할 수도 있다. 영어 귀가 트이는 데 도움이 되고, 영어가 어느 정도 궤도에 오른 학생이라면 영어 듣기 감을 유지하는 데 아주 좋은 방법이다.

또한 이 방법은 영어 읽기, 듣기가 약한 초등학생들에게 효과적이다. 깨알 같은 글씨의 영화 스크립트를 읽는 것이 어려운 어린아이라면 영화를 꾸준히 보여주고 음원을 들려주는 것만으로도 영어 귀가 뚫리는 데 도움이 된다. 영화 다섯 편만 귀에 딱지가 앉도록 듣고 외워도, 웬만한 회화는 거의 할 수 있게 된다. 한 달에 영화 한 편씩 보고 외우는 식으로 천천히 시작해보자. 너무 조급해하지 말고, 멈추지 말고 꾸준히 영어를 들을 수 있는 환경을 만들어주자.

### ○ 팝송과 뮤지컬 넘버 외우기

영화에도 관심 없고 책에도 관심 없는 아이들은 음악으로 흥미를 끌어보자. 대학 시절 친구 중에 팝송을 너무 좋아해서 팝송으로 영어를 끝낸 친구가 있다. 수많은 팝송 가사를 외우고 부르다

보니 영어 말문이 트이고 귀가 뚫린 것이다. 뮤지컬을 좋아하는 아이라면 뮤지컬 넘버의 가사를 외우면서 영어를 익히는 것도 방법이다. 가사를 청독하는 방법으로, 가사는 눈으로 보고 노래는 귀로 듣고 입으로는 노래를 불러보면 도움이 된다. 일주일에 뮤지컬 넘버 한 곡씩 외워 부르기. 어떤가?

언어 공부는 날마다 15~20분씩 꾸준하게 하는 것이 가장 효과적이다. 따라서 아이가 좋아하는 분야를 파악해서 그것을 공략해보시길. 오늘부터 뮤지컬 음악을 거실에 틀어놓고 아이와 춤추며 노래를 불러보는 것은 어떨까? 물론 장기적으로는 영어 영상물에, 영어 원서에 관심 갖도록 이끌어주는 것이 부모의 역할일 것이다. 요즘 강조하는 인문학의 출발이 바로 어린 시절 읽는 영어 그림책, 영어 소설, 영화가 될 수 있다.

# 영어 그림책과 문맹 탈출

## 영어 문맹 탈출, 언제 가능한가요?

"한글은 언제 문맹 탈출하던가요?" 이 질문부터 스스로에게 해본다면 답이 자명하다. 아이는 영어 듣기가 편안해지면 '읽기' 즉, 글자를 읽고 이해하고 싶어지기 마련. 아이의 영어 귀는 생각보다 빨리 뚫린다. 영어 동요로 시작해서 영어 영상물 시청하는 습관만 잘 잡히면 빠르면 6개월 안에도 아이는 영어 소리를 익숙하게 여기고 알아듣는다.

하지만 '듣기'와 달리 '읽기'는 언제 자연스러워질지 묘연하다. 우리 아이들이 한국 땅에 살면서 하루에 듣는 소리 중 거의 90~95퍼센트 이상이 한국어일 것이고, 그렇게 7년을 꼬박 듣고 쓴 언어가 한국어인 데도 불구하고 초등학교 입학을 앞두고도 한글을 잘 읽지 못하는 아이들을 볼 수 있다. 설사 한글을 보고 발음(decoding)할 줄 알아서 간판을 읽고 자막을 읽고 네댓 줄 되는 그림책을 읽을 수 있다고 하더라도 글로만 쓰인 문고판 소설이나 200~300페이지짜리 소설을 편하게 독해(literacy)할 수 있는 초등학교 1학년은 그리 많지 않다.

글 밥이 많은 문고판이나 소설은 아직도 잠자리에서 엄마가 읽어줘야 겨우 집중해서 듣고 읽는 초등학교 저학년 아이의 수준을 감안해볼 때, 종일 듣는 소리의 10퍼센트도 채 안 될 영어 소리, 그 적은 양의 소리 노출로 아이는 어느 세월에 영어책을 혼자 읽을 수 있을까? 생각보다 더 많은 양의 인풋과 시간이 필요하다는 사실을 알 수 있다.

## 낭독, 청독, 묵독, 그중에 으뜸은 청독

영어 읽기의 종류는 크게 네 가지로 나눌 수 있다. 듣기, 낭독, 청독, 묵독이다.

- **듣기 (0~7세)** : 문맹 시기. 엄마가 읽어주는 영어 그림책을 들으면서 그림 보는 독서 행위

- **낭독 (7~10세)** : 디코딩 시기. 쉬운 리더스북을 낭독할 수 있는 시기, 소리 내어 읽는 독서 행위
- **청독 (7~13세)** : 챕터북(원서)을 귀로는 '오디오북'으로 들으면서 눈으로는 글자를 보는 독서 행위
- **묵독 (초등학교 고학년)** : 챕터북(원서)을 소리 없이 눈으로만 읽는 독서 행위

듣기는 아이가 문맹 상태일 때 행해지는 독서 행위다. 글자를 못 읽는 아이는 엄마가 읽어주는 영어 그림책을 들으면서 눈으로는 그림을 보면서 스토리를 따라간다. 글자가 아직 눈에 들어오지 않는 아이들은 귀가 예민하고, 그림을 통해 얻는 갖가지 힌트를 엮어 스토리를 이해한다. 문해력의 시작이 별건가. 엄마가 읽어주는 소리와 그림을 연결해서 스토리와 대사의 의미를 파악하면서 이야기를 끝까지 따라가고 이해하는 것, 그것이 바로 문해력 훈련의 시작이다. 어린아이의 가장 놀라운 능력은 모호한 단어나 표현을 만나도 당황하지 않고 유연하게 이야기 흐름을 따라가는 것인데, 이것이 바로 문해력의 바탕이 된다. 이때 그림은 이야기를 이해하는 데 아주 좋은 단서가 된다. '듣기'도 중요한 '읽기'라는 사실을 인정한다면 우리는 아이의 문맹 시절에 더 기꺼운 마음으로 그림책을 읽어줄 수 있지 않을까?

무엇보다 아이의 독서력은 하루아침에 향상되지 않는다. 아이

혼자 그림책에서 장편소설로 점프하듯 독서력을 키우기는 힘들다. 서사가 긴 책에 맛을 들이는 경험이 필요한데, 이것부터 아이 혼자서는 어렵다. 그래서 엄마가 책을 수준별로 단계적으로 읽어주는 시기가 필요하다. 때로는 스토리텔과 같은 오디오북 음원의 힘을 빌려도 좋다. 이것이 바로 '청독'이다. 문해력을 갖춘 독서, 장편소설을 완독하는 힘을 키우기까지는 상당히 오랜 시간과 인풋이 필요하기 때문에 청독이라는 보조장치를 꽤 오래 달고 있어야 한다. 특히 '영어 원서 청독'이라는 보조장치는 오래 달고 있을수록 유익하다. 청독은 읽기(문해력)뿐만 아니라 듣기, 쓰기, 말하기 실력까지 동시다발적으로 향상시키기 때문이다. 영어 중·고급 학습자에게도 묵독보다 오히려 청독을 권한다.

요즘은 인터넷과 다양한 OTT 서비스를 활용해 굳이 엄마가 낭독해주지 않아도 아이의 청독을 독려할 수 있다. 그러나 어린아이를 키우는 엄마들에게만큼은 간곡하게 당부한다. 아이들 잠자리에서 '한 줄짜리 영어 그림책 읽어주기'부터 직접 해보기를 권한다. 이 낭독을 1년 가까이 반복하면 엄마의 영어 발음, 강세, 유창함의 수준이 몰라보게 발전하기 때문이다. 잠자리 영어 그림책 낭독의 최대 수혜자는 다름 아닌 엄마가 되는 셈이다. 생각해보면 어린아이를 키우는 엄마들 역시 젊은 나이다. 늦지 않게 영어를 삶의 일부로 만들 수 있는 절호의 기회다. 나 역시 아이에게 '엄마표 영어' 환경을 만들어준다는 핑계로 내 인생을 바꾼 영어라는 선물을 얻었고, 그로 인해 생긴 기회들이 지금의 나를 있게 했다. 아이 육아에 집중한 결과, 내가 얻은 뜻밖의 수확은 다름 아닌 나 자신의 성장이었다.

## 아이의 발달 공부는 기본

지나고 보면 고민거리도 아니지만 처음 엄마표 영어를 시작하는 분들에게는 가장 막막한 것이 '영어 그림책은 뭘 읽어주고, 영어 영상물은 뭘 틀어줘야 하나?'일 것이다. 하지만 이것도 옛말인 것이, 요즘은 온라인 서점에만 들어가 봐도 연령별, 주제별, 캐릭터별, 장르별 베스트셀러들을 일목요연하게 큐레이팅해두었기 때문에 해당 카테고리만 둘러봐도 아이의 취향과 언어 수준에 맞는 책을 고르는 것이 그리 어렵지 않다.

게다가 요즘 같은 시대에는 태블릿에 앱 하나만 깔면 언제 어디에서나 수천 수백 권의 영어 그림책과 영어 영상물을 볼 수 있는 '온라인 영어 도서관'도 잘 만들어져 있다. 앱 안의 인공지능이 아이의 취향과 영어 수준에 맞는 그림책이나 영상물을 '추천'으로 보여줘 큰 고민 없이 선택하고 읽고 감상할 수 있기 때문에 '오늘 저녁 뭐 해 먹지?'와 맞먹는 그 어려운 고민, '오늘 무슨 책을 읽어주지? 어떤 영상물을 보여주지?'에서 해방될 수 있다.

그럼에도 불구하고 엄마가 기본적으로 알아야 할 것은 아이의 월령별 발달이다. 특히 그림책의 경우에는 아이의 언어 능력뿐만 아니라 인지력에 대한 이해가 있어야 아이 입맛에 맞는 책을 골라 읽어줄 수 있고 꾸준히 즐거운 독서를 유지할 생기를 얻는다. 아이가 집중하지 못하고 책장을 마구 넘기는 것은 이상 행동이 아니라 "이해 안 돼. 재미없어!" 혹은 "뒷얘기가 더 궁금해!"라는 강렬하고 분명한 시그널을 보내고 있는 것이다. 반대로 같은 책을 수십 수백 번 반복해서 읽으려는 경우도 있다. 이것 또한 강렬한 시그널이다. "이 책은 읽을 때마다 재미있는 구석을 발견하게 돼! 난 계속 이 책을 읽고 싶어요. 아직도 이 책에 대한 갈증이 다 채워지지 않았어요." 그러니 아이의 반응을 어설프게 '판단'하려 하지 말고 '존중'하고 지켜보자.

# 엄마가
# 영어 그림책 읽어줄게

## 영어 발음 안 좋은 엄마는 영어책 읽어주지 말라고요?

오래전 우연히 신문에서 이런 기사를 읽고 깜짝 놀랐다.

> 먼저 책 읽기에서는 '읽어주지 마라'를 강조하고 싶습니다. 아무리 영어에 자신 있다는 부모님도 발음에 100퍼센트 자신 있다고는 장담하기 힘들 것입니다. 그냥 테이프나 CD를 들려주는 것이 최선입니다. 잘못된 발음을 그대로 익히면 되레 나중에 듣기나 말하기 교정에 엄청 시간과 노력이 필요하기 때문이죠. 아이가 뜻을 궁금해하면 가르쳐주는 정도가 적당할 것 같아요. 발음이 형성되는 유년

기 시절의 아이들이 스펀지처럼 모든 것을 흡수하기에 혹시 잘못된 발음이 고착될 수 있기 때문입니다. (후략)

— [최강 영어공부법] 영어책 읽어주면 안 돼 나중에 잘못된 발음 교정 힘들어', 《어린이 동아》

이런 논리라면 경상도 사투리가 심한 엄마는 한글 그림책도 읽어줘서는 안 된다는 말이고, 엄마의 한국어 발음이 지상파 방송국 아나운서 수준이 아니라면 한글책을 읽어줘서는 안 된다는 논리다. 하지만 과연 그럴까?

아이들이 듣는 영어 소리 중 엄마가 읽어주는 영어 그림책 소리의 양은 생각보다 적다. 대부분의 영어 소리 인풋은 영어 영상물을 통해서 쌓인다. 엄마가 잠깐 읽어주는 영어 그림책은 고작 영어 몇 문장이지만, 아이가 30~40분 동안 집중해서 본 《옥토넛》이나 《블리피(Blippi)》 영상에서 뿜어져 나오는 영어 문장은 수백 개이다. 게다가 영어 영상물은 시각 정보도 동시에 들어오기 때문에 강렬한 듣기다.

즉 아이들에게 노출되는 원어민의 영어 소리 인풋과 자극이 압도적으로 많기 때문에 엄마가 영어 그림책을 10분 읽어줬다고 아이의 영어가 잘못되는 일은 없다. 우리가 하는 걱정의 대부분이 지나친 경우가 많다. 언어 습득에 최적화된 어린이의 뇌는 스스로 좋은 것을 본능적으로 선택하고 진화한다. 즉, 아이들은 듣기 좋은 원어민 발음과 억양에 본능적으로 끌리고 그것을 흉내 내고 발전시킨다는 말이다. 그러니 내 발음이 어떻든 간에 주눅 들지 말고 당당하게 오늘 밤도 내일 밤도 잠자리에서 아이에게 영어 그림책을 읽어주자. 그 누구도 빼앗을 수 없는 소중한 시간이다.

## 잠자리 영어 그림책, 이 책부터 읽어줘보세요

### ○ 한 줄짜리 영어 그림책

영어 그림책을 읽어주는 건 생각처럼 쉽지 않다. 한글 그림책을 늘 읽어주던 엄마라면 그나마 낫지만 그림책 읽어주기 베테랑인 엄마라도 영어 그림책을 읽어주는 것은 참 쑥스럽고 입이 쉽게 떨어지지 않는다. 내 콩글리시 발음을 남편이 들을까 무섭고 아이 앞이지만 쑥스럽다. 그래서 첫 영어 그림책으로 한 줄짜리 그림책을 권한다. 한 페이지에 단어 하나 있는 그림책, 한 페이지에 짧은 문장 한 줄 있는 그림책이 생각보다 꽤 많다. 글 밥도, 단어도 만만해야 읽어줄 용기가 나고 부담 없이 시작할 수 있다.

### ○ 한 단어 영어 그림책

한 페이지에 한 단어만 있는 그림책이라면? 제아무리 영어 울렁증이 심한 엄마라도 당장 들고 읽어줄 수 있다. 한 예로 로버트 칼란(Robert Kalan)의 『Rain』은 참 만만한 그림책이다. 한 페이지에 단어 하나, 단어 두 개 이런 식이기 때문이다. 게다가 단순한 그림이 단어 뜻을 다 말해준다. 파란 하늘 그림에 'blue sky', 뒷장으로 넘어가면 흰 구름 그림 위에 'white cloud', 다시 또 한 장 넘기면 노란 태양 그림에 'yellow sun'. 가장 긴 문장은 이것이다. 'Rain on the orange flowers(주황색 꽃 위에 떨어지는 비).' 이 얼마나 만만한가?

실제로 내가 2호 32개월 때 『Rain』 그림책을 읽어준 모습을 담은 동영상이다. 영어 울렁증이 심한 엄마라면, 이 동영상을 보며 용기를 얻기를 바란다.

### ○ 같은 문장이 반복되는 영어 그림책

같은 문장이 반복되고 단어 하나만 바뀌는 그림책도 있다. 찰스 쇼(Charles Shaw)의 유명한 책 『It Looked Like Spilt Milk』가 그렇다. 그림 속 파란 하늘에 흰 구름이 마치 파란 테이블에 쏟아진 흰 우유 같은 모양인데, 그 모양이 계속 바뀌면서 상상을 자극한다.

Sometimes it looked like a rabbit, but it wasn't a rabbit.

**어떤 때는 토끼처럼 보였는데, 토끼가 아니었네.**

Sometimes it looked like a bird, but it wasn't a bird.

**어떤 때는 새처럼 보였는데, 새가 아니었네.**

Sometimes it looked like a tree, but it wasn't a tree.

**어떤 때는 나무처럼 보였는데, 나무가 아니었네.**

### ○ 노래로 부르는 영어 그림책

엄마표 영어를 하는 집이라면 모두 가지고 있을 유명한 책이 바로 에릭 칼(Eric Carle)의 『Brown Bear Brown Bear What Do You See』이다. 우리 집도 이 책이 '영어 그림책 읽어주기 첫 책'이었다.

영어 그림책 읽기가 처음이라면 이렇게 CD가 함께 붙어 있는 영어 그림책이 딱이다. 노래로 배우는 영어 그림책은 오래 읽기 힘들다는 단점이 있지만 처음 영어를 접하는 아이나 엄마를 위해서는 추천할 만하다. 지속 가능하고 실천 가능하기 때문이다. 아이가 어릴 때 한글 동요 그림책을 펼쳐놓고 동요 메들리를 부르듯이 영어도 그렇게 시작하면 된다. 영어권 나라에서도 말을 배우기 시작하는 아이를 위해 만들어진 영어 동요 그림책이 많다. [노부영 시리즈]인 『Down by the Station』, 『Over in the

Meadow』와 『Humpty Dumpty』 같은 영어 동요책은 동요를 들으면서 읽을 수 있기 때문에 말을 배우는 효과가 더 크다. 영어 노래는 아이들이 좋아하고 학습 효과가 크기 때문에 [Learn to Read] 시리즈 류의 리더스북도 노래를 함께 수록했다.

### ○ 한글로 이미 알고 있는 영어 그림책 읽기

영어를 늦게 시작해서 영어에 대한 거부감이 심한 아이들에게는 다른 접근을 해봐도 좋다. 예를 들어 한국어로 읽어본 그림책 중 아이가 좋아해서 수십 번 반복해 읽은 책을 영어로 보여주는 방법이다. 외국의 유명한 상을 수상한 작품이나 작품성 있는 그림책들은 거의 실시간으로 번역되어 국내 시장에 들어오는 상황이기 때문에 아이가 이미 한글로 읽은 그림책의 영어 원서를 찾기는 어렵지 않다. 그러나 이런 문학적 가치가 뛰어난 영어 그림책들은 우리 정서에 맞지 않거나 어휘가 어려울 수 있기 때문에 눈높이를 확 낮춰 책을 고르는 것이 좋다. 예를 들어 대중적으로 유명한 명작동화나 이솝우화는 아이가 한글책으로 다 읽어서 익숙한 작품이 많은데, 『아기 돼지 삼 형제』 『이솝우화』 『인어공주』 『신데렐라』 등 이미 내용이 친숙한 책의 영어 원서를 읽어주는 것이다. 아이는 이미 알고 있는 내용이기 때문에 낯선 영어가 들리더라도 귀를 쫑긋 세우고 소리와 의미에 집중할 것이고, 정교한 그림이 충분한 설명을 보태어 이해를 돕는다.

### ○ CD가 딸린 영어 그림책, 도서관에서 빌려 읽기

한 줄짜리 영어 그림책 읽어주기에 익숙해지면 글이 긴 책을 용기 내어 읽어보자. 도서관에서 빌리면 CD까지 대여할 수 있다. 매주 한두 번씩 아이랑 도서관에 가보자. 물론 엄마는 그전에 미리 책 검색을 해두어야 한다. 책을 검색하는 방법으로는 아이가 특히 좋아하는 작가별로 검색하는 법, 영어 온라인 서점의 판매량을 기준으로 검색하는 법, 리뷰가 많은 순서로 검색하는 법, 세계적인 어린이 문학상 수상작을 검색하는 법 등이 있다. 물론 어린이 문학상 수상작은 앞에서 말했듯이 대상 독자가 영미권 혹은 유럽권 어린이들이기 때문에 우리와는 정서가 잘 맞지 않을 수도 있다는 점도 기억하자.

계속해서 영어 그림책을 읽어주다 보면, 어느새 아이도 자기 나름의 독서 취향이 생긴다. 독서 편식이 생길 수도 있는데 나는 그것이 그렇게 나쁘다고 생각하지 않는다. 나 역시 지금까지도 독서 편식이 심한 편이고 그건 어쩔 수가 없다. '내가 읽고 싶은 책도 내 맘대로 못 읽나!'라고 반박하고 싶은 마음을 잘 알기 때문에 아이의 독서 편식에 대해서는 관대한 편이다. 무엇보다 아이가 책 읽는 즐거움을 맛보았다는 것이 중요하다.

**날마다 영어 그림책 읽어주기는 쉽지 않지만 불가능한 것도 아니다. 아래 조건들이 받쳐준다면 누구나 할 수 있다.**

① 영어 그림책, 제일 만만한 책(한 줄짜리, 한 단어짜리로)으로 골라 일단 시작하는 '단순함'

② 오디오 CD와 유튜브 동영상을 적극 활용하는 '유연성'

③ 아이가 영어 그림책을 덮고 CD를 꺼버려도 상처받지 않을 '넉살'

④ 영어 그림책을 읽어주다 나 먼저 잠들어도 그런 나를 사랑스럽게 토닥토닥할 수 있는 '자기애'

⑤ 영어 그림책 읽어주는 내 목소리, 내 콩글리시 녹음 파일을 듣더라도 괴로워하지 않을 '뻔뻔함'

⑥ 밤마다 책 읽어줄 체력을 비축하기 위해 집안 살림을 과감히 포기하는 '내려놓음의 지혜'

# 영어 그림책의 종류와 활용법

## 픽처북 활용법

흔히 말하는 영어 그림책, 픽처북은 그림 자체만으로도 많은 이야기를 담고 있는 영미 문화권 작가들의 창작 동화책을 의미한다. 단어 하나 혹은 같은 문형의 문장이나 라임이 반복되는 간단한 그림책에서부터 초등 고학년이 읽어도 될 만큼의 깊이 있는 내용의 그림책 등 다양한 영어 그림책이 한국에 소개되고 있다. 앞에서도 이야기했지만 이런 영어 그림책은 영미권 어린이 독자를 대상으로 만들어진 창작 동화이기 때문에 우리같이 영어를 외국어로 배우는 EFL(English as a Foreign Language) 학습자에겐 다소 어렵고 낯선 표현들이 많아 진입 장벽이 높다. 특히 영어를 접해본 경험이 전혀 없는 아이들에게는 더욱 힘들 수 있다. 도치되거나 생략된 문장이 많아 해석이 안 되는 경우도 많고, 단순히 언어적인 문제 말고도 문화적인 차이 때문에 어렵게 느껴지기도 한다. 따라서 처음부터 픽처북 위주로 선택하면 영어 그림책 읽는 것이 부담스러울 수 있다. 영어 그림책과 친해지기 위해서는 아이 영어 수준과 기호에 맞는 책을 잘 골라서 읽어주는 것이 중요하다.

## 리더스북 활용법

리더스북은 문맹인 아이들의 문자 읽기를 돕기 위해 수준별로 난이도를 달리해서 만들어진 책이다. 그림책 속 단어, 문장 형태, 그리고 원어민의 낭독 속도를 레벨별로 달리해서 처음 영어 읽기를 시도하는 아이들도 1단계부터 단계별로 차근차근 읽다 보면 어느새 글을 읽게 된다. 리더스북의 독자는 영어를 모국어로 쓰는 영미권 원어민 어린이부터, 영어가 모국어는 아니지만 영미권 나라에 거주하고 있으면서 영어를 제2외국어(ESL, English as a Second Language)로 삼은 이민자 자녀들, 그리고 영어를 외국어(EFL)로 학습하는 비영어권 아이들로 다양하다. 리더스북은 단어가 쉽고 문장이 복잡하지 않아 영어가 서툰 아이들도 자신 있게 영어 읽기에 도전할 수 있다. 그러나 레벨에 따른 단어와 문형의 제약으로 작가가 상상력과 재기를 발휘하여 창작하기 어렵고, 세트로 제작되기 때문에 픽처북보다는 재미가 부족하거나 그림의 작품성이 다소 아쉬울 수밖에 없는 태생적 단점이 있다.

'영어를 초등학교 이후에 접한 아이들'의 경우 순수 창작물인 픽처북 속의 어휘나 표현들이 어려울 수 있으므로 리더스북으로 시작하는 것을 추천한다. 리더스북은 레벨과 주제가 다양하기 때문에 아이의 기호에 맞게 너무 유치하지 않으면서도 어렵지 않은 책을 고른 다음, 오디오 파일을 들으면서 청독을 반복해볼 수 있다. 리더스북은 문장이 단순하고 내용이 쉬워서 아이들은 몇 번의 청독만으로도 문장을 통째로 외우곤 하는데, 그 정도로 리더스북이 쉬워지면 "엄마, 내가 한번 (소리 내서) 읽어줄까?"라며 물어올 수도 있다. 그것이 낭독인데, 아이가 만약 리더스북을 '기꺼이' 낭독할 정도로 책이 쉬워졌다면 규칙적인 낭독을 유도해서 읽기, 말하기, 듣기까지 세 마리 토끼를 동시에 잡을 수 있다. 하지만 아이가 자발적으로 하겠다고 하기 전에는 절대 강요해서는 안 된다. 준비가 안 된 상태에서 시키는 낭독은 아이에게 상당한 부담일 뿐만 아니라 아이가 영어를 싫어하게 되는 발단이 되기 때문이다. 리더스북의 경우 '청독'만으로도 충분하다. 날마다 일정량의 리더스북을 차고 넘치게 청독한 아이들은 어느새 자연스럽게 글자를 읽게 된다.

요즘은 ebook 형태로 나온 리더스북도 많은데 이 책들은 플레이 버튼만 누르면 원어민이 읽어주는 오디오북 소리와 동시에 화면 속 텍스트가 하이라이트 처리되어 보인다. 파닉스가 더는 필요 없는 시대가 온 것이다. 글자 위로 옮겨지는 하이라이트만 따라가도 아이들은 어느새 자연스럽게 '소리(sound)'와 '글자(text)'의 상관관계를 파악한다. 그렇게 될 때까지 리더스북을 늘 아이 곁에 두고 충분히 청독할 수 있도록 해주는 것이 중요하다.

리더스북은 늦게 영어를 시작하는 아이들에게 '영어가 이렇게 쉽고 재미있을 수 있어'라는 자신감을 줄 뿐만 아니라, 영어 울렁증 때문에 아이에게 영어 그림책을 읽어주는 것이 엄두가 안 나는 초보 엄마들도 용기 내어 시작할 수 있게 해준다. 문장이 짧고 쉬운 리더스북을 밤마다 낭독해주다 보면 어느새 영어 낭독에 대한 자신감이 차올라 좀 더 어려운 영어 그림책에 도전할 마음을 생길 것이다. 나 역시 픽처북은 단어가 너무 어렵고 문장이 길어서 읽어줄 엄두가 나지 않았는데 리더스북은 왠지 읽을 만하다는 생각에 잠자리 독서로 시도할 수 있었다. 픽처북을 읽어주다가 해석도 안 돼, 발음도 몰라, 단어도 어려워, 하며 느꼈던 자괴감을 싹 치유해준 것이 바로 [Learn To Read]와 [Oxford Reading Tree], 이 두 개의 리더스북 시리즈였다.

## 챕터북 활용법

챕터북이란 리더스북과 영어 그림책을 통해 읽기 능력을 키운 아이들이 장편 소설을 읽기 전 중간 단계에서 읽는 영어책이다. 책에 맛을 들이는 것을 목적으로 하는 챕터북은 10~18개의 작은 챕터로 나뉘어져 있으며 그림이 없거나 간단한 삽화만 있고 대부분의 페이지가 글로 꽉 채워져 있다. 호흡이 긴 소설이 아직 버거운 영미권 어린이 독자를 대상으로 80~200페이지 내외의 분량으로 쓰였다. 묵독이 어려운 어린이가 손에서 책을 떼지 않고 읽으려면 우선 한 챕터의 길이가 너무 길어서도 안 되고 스토리 전개가 빨라야 하며, 모르는 단어가 수시로 튀어나와서 이해하는 데 방해가 되면 안 된다. 그래서 주로 독특한 캐릭터를 주인공으로 한 기발한 스토리를 통해 아이들의 흥미를 유발하고, 간결한 문장과 생생한 표현 덕분에 영어 원서가 익숙하지 않은 아이들조차 책장을 빨리 넘길 수 있다. 한 권 한 권 비슷한 패턴으로 진행되기 때문에 책 내용과 패턴에 익숙해지다 보면 어느새 읽는 속도도 빨라져 속독이 가능하게 된다. 책을 다 읽었을 때의 기쁨과 뿌듯함을 경험한 아이들은 쉽게 두꺼운 영어 원서의 세계로 진입할 수 있다.

챕터북의 종류는 다양하다. 추리, 탐정, 모험, 시간 여행, 학교생활, 스릴러, 액션, 히어로, 초능력, 유머, 전래동화, 가족, 형제,

우정, 전설, 패러디, SF 등 어린이들이 좋아할 만한 소재에서부터 역사, 과학, 위인전 등 교육적인 소재의 챕터북도 있다.

챕터북 뒷면에는 책의 난이도에 따라 읽기 레벨이 표시되어 있고 이는 아마존에서 검색해도 쉽게 찾아볼 수 있다. 책의 읽기 레벨로 통용되는 지수는 렉사일 지수와 AR 지수가 있는데, 렉사일 지수는 미국 교육 연구기관인 메타메트릭스(MetaMetrics) 사에서 개발한 독서 능력 평가 지수로, 미국에서 가장 권위적으로 쓰이는 대표적 영어 읽기 지수 자료로 활용되어 국공립 교과서 및 추천 도서에는 이 렉사일 지수가 표기되어 있다. 아마존 북사이트의 책 정보란에 보이는 렉사일 지수 200~500은 미국 초등 저학년 수준, 300~800은 미국 초등 고학년 수준, 800~1000은 미국 중학생 수준, 1000~1200은 미국 고등학생 수준, 1200~1700은 미국 대학생 수준의 독서 능력을 말한다.

AR 지수는 미국 르네상스 러닝(Renaissance Learning) 사가 개발한 독서 관리 프로그램으로, 책의 난이도를 미국 교과서 커리큘럼에 맞춰 학년별로 단계를 구분한 것이다. 예를 들어 AR 3.9라면 미국 초등학교 3학년 9개월차 되는 아이의 독서 능력이면 충분히 읽을 수 있는 레벨이란 뜻이다. 이 같은 수치는 미국 6~8학년 수준의 챕터북, 즉 AR 6~8(렉사일 800~1000) 수준의 원서를 편안하게 읽는 수준이라면 우리나라 대학수학능력평가 외국어 영역 정도는 무난하게 풀 수 있다.

아이 영어 그림책을 고를 때 너무 막막하다면 이러한 지수를 참고할 만하지만 맹신해서는 안 된다. 가장 정확한 지표는 다시 말하지만 아이의 '반응'이다. 생각보다 지수가 높은 책인데, 그 책이 아이 관심사라면 레벨에 상관없이 즐겁게 읽을 것이고, 생각보다 지수가 낮아 무난하게 읽을 줄 알았는데 아이가 어려워할 수도 있다. 책을 읽을 때 책에 고정되는 시선과 의자에 붙어 있는 엉덩이, 이 두 가지가 그 어떤 지수보다 정확하다.

챕터북 역시 아이의 영어 수준에 따라 아이 기호에 맞는 책을 고르는 것이 관건이다. 쉽지 않은 일이다. 책 리뷰도 꼼꼼히 살피면서 고르고 골라 아이에게 보여줬는데 아이 반응이 시큰둥하거나 읽지 않겠다고 거부하면 기운이 빠지긴 한다. 챕터북의 입문이라 말할 수 있는 [Magic Tree House] 시리즈는 우리 집에서 절반의 실패를 맛보았다. 1호는 폭 빠져 읽었지만 2호는 똑같은 이야기라서 재미없다며 쳐다보지도 않았다. 그런 2호를 나무랄 수 없었는데, 실제로 이 시리즈의 도서들은 스토리 구조가 전반적으로 엇비슷하기 때문이다.

영어 그림책이나 리더스북으로 편하게 그림을 보면서 영어를 접했던 아이들은 흰 종이에 검은색 글자로 영어만 잔뜩 있는 챕터북을 처음 보면 겁에 질린다. 그러므로 챕터북을 처음 시도할 경우, 꼭 '스토리텔'과 같은 오디오북의 도움을 받을 것을 권한다. 챕터북 묵독은 어렵지만 오디오북을 들으면서 책장을 넘겨 읽는 청독이라면 완독이 가능하다. 청독은 자신의 읽기 레벨보다 1~2 단계 높은 챕터북도 읽고 이해하게 만드는 힘이 있다. 아이는 책장이 한 장 두 장 넘어가고 어느덧 마지막 장을 넘기는 자신을 발견하게 된다. 챕터북 청독으로 읽기 레벨을 확 끌어 올릴 수 있고 자연스럽게 영어 원서(소설)로 넘어갈 수 있다. 아이가 영어 소설을 편하게 읽는 날, 엄마표 영어는 끝난다고 할 수 있다.

## 영어 원서 활용법

보통 영어로 쓰인 비문학, 문학 소설을 모두 포함한 책을 영어 원서라 통칭한다. 고전부터 최근 베스트셀러에 이르기까지 영미권 성인 독자들을 대상으로 만들어진 창작 소설과 비문학 서적을 아이가 모국어 책 읽듯이 편안하게 묵독하는 수준에 이른다면 영어가 완성되었다고 봐도 무방하다. 다양한 작가, 다양한 주제의 책을 편안하게 읽어 내려갈 수 있는 영어 문해력, 이것이 바로 엄마표 영어를 실천하는 엄마가 아이에게 줄 수 있는 가장 귀한 선물이 아닐까 싶다. 다만 그만큼 도달하기 힘든 지점이 바로 이 지점이다. 장기적인 안목으로 10년을 내다보며 영어 육아를 하는 엄마의 세심한 '안내(모델링)'와 묵직한 '인내(기다림)'가 필요하다.

사실 아이가 챕터북, 영어 원서에 재미를 붙이고 꾸준히 읽는다면 한국에 살면서 영어 때문에 스트레스 받을 일은 없다. 수능 영어, 토플, 토익, 각종 고시 영어 모두 커버할 수 있는 실력은 이미 갖춘 셈이다. 영어 소설을 스스로 읽는다는 것은 한국어와 영어의 경계가 없어져 두 언어를 자유롭게 읽고 해석할 수 있다는 것을 의미한다. 심지어 속독도 가능하다. 영어로 읽으나 한국어 번역본을 읽으나 속도와 이해에서 차이가 없다면 하산해도 되는 경지에 도달한 것이고, 이런 문해력은 인터넷상에 영어로 되어 있는 수많은 양질의 정보를 다 내 것으로 활용할 수 있다는 것을 의미한다.

## 아이가 영어책을 거부할 때 대처법

영어 CD만 틀어놓으면 "저거 꺼!" 하는 아이, 영어책만 펼치면 확 덮어버리는 아이를 두고 꾸준히 영어책을 읽어주는 일은 정말 힘들고 괴롭다. 열심히 레시피를 찾아보면서 종일 이유식을 만들었는데 아이가 입도 안 대면 기운 빠지는 것과 마찬가지다. 하지만 아이가 영어책을 거부하는 것은 어쩌면 당연하다. 아무리 갓난아이 때부터 영어 동요를 들려주고 영어 그림책을 틈틈이 읽어줬어도 외국어는 외국어이기 때문이다.

아이가 영어를 거부하는 시기는 대체로 비슷하다. 아주 어렸을 때부터 영어 그림책과 영상물 소리를 즐겁게 들었던 아이라 할지라도 5~6세 무렵이 되면 십중팔구 영어책을 거부하는데, 보통 이때가 기관 생활을 시작하는 시기다. 이 시기의 아이가 영어를 거부하는 건 어찌 보면 모국어를 잘하고 싶은, 모국어를 완성하고 싶은 '생존 본능' 때문이 아닐까 싶다. 엄마와 단둘이던 때와는 달리 낯선 친구들, 선생님과 하루하루 서로를 알아가고 관계 맺기 시작하는 때이므로 무엇보다도 '모국어'로 조리 있게 자기 의사를 표현해야 할 필요성을 본능적으로 느낄 것이다. 이런 때에 아이에게 영어는 그저 귀찮고 번거로운 것이지 않을까?

실제로 우리 집 2호는 다섯 살 때 영어책 거부가 심했다. 나는 그때 과감하게 영어 그림책을 덮었다. 대신에 "이참에 모국어 독서력을 확 끌어올려보자."라는 쪽으로 방향을 선회해서 아이가 가져오는 대로 한글 그림책을 쌓아놓고 원 없이 읽어줬다. 그랬더니 2호는 전래동화, 명작동화, 사회과학서, 자연관찰서, 역사서까지 섭렵하면서 책을 탐독했다. 초등학생 형들이 읽는 문고판 책도 읽어주면 집중해서 잘 듣고 재미있어 했다. 물론 그런 와중에도 영어 영상물을 시청하는 루틴만큼은 지키면서 영어 소리 노출은 꾸준히 유지되도록 했다. 몇 달 후, 영어책에 대한 거부 반응이 약간 소강 상태에 접어들었을 때, 심혈을 기울여 골라

온 재미있는 영어 그림책들을 슬쩍 한글책 사이에 섞어 읽어주니 큰 거부감 없이 다시 받아들이기 시작했다.

아이의 영어 거부 반응은 슬럼프처럼 수시로 올 수 있다. 그때마다 당황하지 말고 유연했으면 한다. 사실 영어 영상물 시청만 꾸준히 유지되고 있다면 영어 그림책을 잠깐 손 놓아도 아이의 영어 듣기 실력, 뚫린 영어 귀가 닫히는 일은 없다. 앞서 말한 2호의 사례처럼 영어 영상물 노출은 유지하되 모국어 독서와 대화에 심혈을 기울인다면 영어 그림책과 챕터북으로의 연결은 불가능하지 않다.

내가 제안하는 건 일종의 '야채를 거부하는 아이에게 야채 먹이는 방법'을 활용해보라는 것이다. 아이가 야채를 싫어하면 보통 엄마들은 아이가 거부감 없이 얼렁뚱땅 야채를 먹을 수 있도록 야채를 다져서 볶음밥을 하거나 고기를 듬뿍 넣은 비빔밥을 만들어주거나, 김밥을 말아주거나 야채전을 부쳐 먹인다. 영어에도 이런 '감자 야채전'이 필요하다는 이야기다. 내가 우리 집 아이들에게 만들어 먹인 '영어 감자 야채전'은 다음과 같다.

### ○ 엄마 목소리, 아이 목소리 녹음하기

영어책 읽어주는 내 목소리를 모두 녹음해서 아이들에게 수시로 들려주었다. 특히 이동하는 차 안을 추천한다. 아이들이 꼼짝없이 차 안에만 있어야 하기 때문에 엄마가 틀어주는 영어 소리를 무조건 듣게 되므로 차 안은 아주 좋은 장소다. 이 장소를 십분 활용해 우리 집 아이들도 차 안에서 영어 동요나 영어 그림책 녹음 파일을 많이 들었다. 내 경우 너무 피곤해서 잠자리에서 책 한두 권 읽어주다가 먼저 쓰러져 잠들 때도 있었는데, 그런 날에도 녹음 파일이 엄마 노릇을 대신했다. 아이들은 내 목소리 대신 녹음 파일을 듣다가 잠이 들고는 했다.

### ○ 책 읽어주는 모습 촬영하기

2호에게 썼던 방법이다. 카메라를 삼각대에 고정하고 2호에게 책을 읽어주는 모습을 동영상으로 찍었다. 2호는 책 읽어줄 때는 딴 데로 새지만 이렇게 찍어놓은 동영상 보는 것은 참 좋아했다. 나는 동영상을 핸드폰, 태블릿 등에 담아서 수시로 2호와 함께 보았다. 한두 번 반복해서 보다 보면 어느새 그 책 이야기는 아주 익숙한 이야기가 되어 있다.

### ○ 오디오, 유튜브 활용하기

영어 울렁증이 있어서 영어책을 읽어주는 내 목소리를 녹음, 녹화하는 일이 힘들다면 영어책에 딸린 CD나 음원을 틀어주거나 유튜브 동영상을 녹음해서 들려줘도 좋다.

### ○ 책 대신 영어 영상물로 관심 끌기

책이라면 고개를 절레절레 흔들며 거부하는 아이들이 있다. 아이에게 스트레스를 주면서 영어책을 고집할 필요는 없다. 어떤 방법이든 영어 소리를 날마다 10~20분씩 꾸준히 듣게 해주는 것이 관건이니 이럴 때는 차라리 영어 영상물에 의존해보자. 영어 그림책을 영상물로 만든 동영상이 유튜브에 수없이 많다. 아이와 함께 하루에 한 편씩 보는 것을 실천해보자.

### ○ 영어 그림책 1천 권 안 읽어도 돼요

한때 모 사이트에서 영어책 1천 권 읽기가 유행인 적이 있었다. 아이러니하게도 영어책 1천~2천 권 안 읽어도, [Learn to Read] 시리즈처럼 한 권 읽는 데 30초도 안 걸리는 짧고 간결한 리더스북만 반복해서 읽어도(들어도) 아이의 읽기 능력은 향상된다. 아이의 영어는 단순히 영어 그림책 속 몇 개 안 되는 문장 소리의 인풋만으로 자라는 것이 아니기 때문이다. 상당히 많은 양의 영어 소리가 '재미'있고 '의미' 있게 인풋되는 영어 영상물, 모국어 독서를 통해 쌓이는 유추력, 상상력, 이해력, 논리력 등과 함께 자라기 때문이다.

아이 취향을 저격하는 책 시리즈, 작가 두세 명만 발굴해 책을 접하게 해도 아이는 영어 그림책의 세계에 푹 빠져서 힘들이지 않고 즐겁게 영어를 익힌다. 또 반드시 책만 고집할 필요도 없다.

디지털 세대 아이들은 다양한 디지털 매체, 앱, 전자책을 통해서도 문해력뿐만 아니라 디지털 리터러시(digital literacy)를 갖출 수 있다. 그러니 아이가 영어책을 거절해도, 리더스북 1천 권을 다 못 읽어도 절망할 이유가 없다. 우리 아이에게 통할 만한 나만의 '영어 감자 야채전'을 만들어 아이의 마음을 열어보자.

# 3부.

# 초등학교 고학년의 엄마표 영어

# 어린이와 성인의 영어 습득, 어떻게 다른가

## 성인의 영어 습득 방식

준비물

- 한글로만 쓰고 말하며 살아온 시간에 대한 자부심
- 그동안 쌓아온 나름의 경험과 지식

노암 촘스키가 주장한 '언어 습득 장치'가 작동되는 유일한 시기, 그때 영어 소리에 노출되기만 하면 아이들은 그야말로 영어를 주워듣고(pick up), 체화(intake)하고, 바로 흉내 내고(imitate) 말한다(output). 이 모든 과정이 물 흐르듯 자연스럽고 유연하게 이루어지기 때문에 엄마표 영어로 키워진 아이들은 '아니, 우리 애가 언어 천재인가?' 싶은 착각이 일 정도로 어느 순간이 되면 자연스럽게 입으로 영어를 한다. 이 모든 일련의 과정이 우아하게 이어진다.

반면 성인은 영어 소리를 '듣는 것' 자체가 어렵다. 눈으로 텍스트를 봐야만 영어 소리가 겨우 들릴까 말까다. 영어가 이질적인 소리이기 때문에 그렇고, (모국어도 영어 못지않게 아직 낯설고 이질적인 만 1~3세 유아의 귀와 같을 수는 없다.) 모국어만 듣고 산 세월이 너무 길어 그렇다. 외국어를 외국어로만 받아들여 '해석'하고 '분석'하며 '학습'한다. 이는 초등학교 이후에 영어를 접한 어린이에게도 해당되는 이야기로, 청소년기에 접어든 아이들에게 영어는 이미 이질적인 소리이기 때문에 알아듣기 힘들다.

따라서 10세 이전의 영어 환경과 10세 이후의 영어 환경은 다를 수밖에 없다. 이번 챕터에서는 10세 이후의 어린이, 성인은 어떤 과정을 거쳐 영어를 습득하는 것이 가장 효과적인지에 대해 이야기를 해보려고 한다. 순수 국내파로 중국어와 영어를 편안하게 듣고, 읽고, 쓰고, 말하기까지의 개인적인 경험과 대학, 대학원에서 전공한 이론을 바탕으로 정리해보았다.

연구에 따르면 성인은 외국어를 배울 때 좌뇌만 주로 써서 언어를 분석적으로 학습하지만 아이는 새로운 언어를 듣고 반응할 때 우뇌와 좌뇌를 모두 써서 습득한다고 한다. '학습'이란 학습자가 인위적인 환경(교실)에서 교수자의 수업을 통해 언어를 배우는 것이고, '습득'이란 교실 밖 환경에서 자연스럽게 언어를 듣고 익히는 것을 말한다. 경험을 통해 직접 부딪혀 배운다는 점에서 '체득'이라고 표현해도 좋겠다. 상황에 따라 성인도 언어를 습득할 수는 있지만, 언어를 받아들이는 과정 자체가 만 3세 이하 어린아이와는 완전히 다르다. 어린이라도 엄마의 강요로 언어를 학습하는 경우가 있는데 이 경우는 부작용이 크다.

성인은 외국어를 배울 때 귀가 아닌 '눈'으로 배운다. 그렇기 때문에 오로지 귀에만 의존하여 '소리'만 듣고 외국어를 익히는 것은 어렵다. 눈으로 글자를 보고 문장을 봐야 이해가 된다. 성인은 문장 구조를 뜯어서 분석하는 것이 편하기 때문이다. 그래서 읽기(reading)는 되는데 듣기(listening)와 말하기(speaking)는 어렵다. 즉 이런 식이다.

**"apple을 소리 낼 때는 a를 '애'라고 발음하는데, 왜 snake라고 할 때는 '에이'라고 발음하지?"**

**"a가 낼 수 있는 음가는 또 무엇이 있고, 그 예로 어떤 단어가 있지?"**

그에 반해 아이들은 apple은 "애플", snake는 "스네이크"로 자연스럽게 받아들이고 발음한다. 물론 성인 중에도 스펠링과 소리와의 관계는 신경 쓰지 않고 어린아이처럼 듣고 따라하면서 익히는 사람도 있지만 보통의 경우, "같은 스펠링인데 왜 다르게 읽지?" 하며 분석적으로 따지고 그 원리를 알아야 속이 시원하다.

문장도 마찬가지다. "Would you like some apples?"라는 문장을 예로 들어보면 아이들은 문장을 하나의 '의미 덩어리'로 여기기 때문에 이 문장도 '사과 먹을래?'라고 의미만 파악할 뿐 구조를 분석하고 해석하며 듣지 않는다. 가볍게 의미를 파악하고 반복해서 들리는 문장을 앵무새처럼 따라해볼 뿐이다. 그러나 성인은 "would는 무슨 뜻이지?" "Do you like apples?와 무슨 차이지?" "왜 'Do you want to have some apples?'라고 하지 않고 'Would you like some apples?'라고 말하는 걸까?" 식으로 고민한다. 그 사이에 아이들은 "I would like some ice cream!"이라고 응용까지 한다.

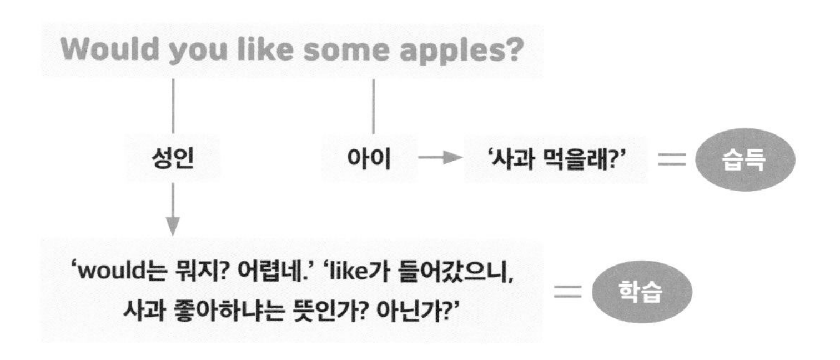


아이가 좌뇌와 우뇌를 모두 써서 이렇게 언어를 직감적으로

흡수하는 시기는 학자마다 의견이 다르지만 대체적으로 0세부터 10세, 길게는 사춘기까지로 본다. 초등학교 3, 4학년만 되어도 분석적으로 가르쳐줘야 외국어를 이해하고 받아들인다. 이 시기의 아이들은 개인에 따라 차이는 있지만 보통은 그렇다. 소리만 들려주었을 때는 뭔가 안개가 낀 것처럼 답답해하는데 텍스트를 보여주고 분석하게 하면 "아하!" 하고 한 번에 이해한다.

예를 들어보자.

㉠ There is a tree. — There are trees.

㉡ I am happy. — She is happy. — They are happy.

㉠의 경우, 왜 어떤 때는 is라고 하고 어떤 때는 are이라고 할까? 문장을 읽어줄 때는 그 차이를 모르다가 문자로 보여주면 논리적으로 분석이 가능해서 속 시원해하는 경우가 있다. "나무가 한 그루일 때는 is를 쓰고, 여러 그루가 있을 때는 are을 쓰는구나." 하고 분석이 가능한 것이다. ㉡도 마찬가지다. '~입니다'에 해당하는 be 동사의 형태가 주어에 따라 바뀐다는 사실도 문자로 봐야 비로소 이해가 된다. 귀로만 듣고 알아맞히는 것은 정말 어렵고 속이 터진다.

나는 외국어를 외우고 독학하는 취미가 있는데, 몇 년 전 프랑스어를 독학할 때 프랑스인 강사가 영어로 진행하는 프랑스어 강좌 팟캐스트를 들은 적이 있다. 스크립트 없이 '소리'만 들으면서 공부하자니 답답하고 더 어렵게 느껴졌다. 얼마 뒤에 해당 홈페이지에 강의 스크립트가 있다는 사실을 알게 되었다. 스크립트를 출력해 보면서 강의를 들으니 그제서야 안개가 걷히듯 선명해졌다. 모든 강의가 술술 이해됐다.

— Il est grand avec les yeux bleus et les cheveux marron.

이 문장을 소리로만 듣고 있을 때는 '방금 뭐가 지나간 거지?' 싶어 멍했다. 단어 몇 개가 뭉개져서 들리지 않았는데 스크립트를 보니,

— Il est grand avec les yeux bleus et les cheveux marron.

**: He is tall with blue eyes and brown hair.**

il은 he, est는 is, grand는 tall이라는 것이 한 눈에 보였다. 심봉사가 눈을 뜬 것 같았다. 나는 주어, 동사, 형용사 등 단어 하나하나의 의미를 알아야 마음이 놓이는 성인이었다. 아이처럼 있는 그대로 습득하는 것이 아닌, 모든 의미를 이해한 다음에야 비

로소 입으로 소리 내어 읽고 외울 수 있었다. 문장 구조가 이해되면 단어를 바꾸어 응용하는 것도 가능하다. 물론 그 문장을 입에 익도록 반복하는 것은 또 다른 일이지만 말이다.

성인이 외국어를 배우는 것은 불리하다고들 하지만 어떤 측면에서는 아이보다 더 쉽고 효율적으로 외국어를 익힐 수도 있다. 문장을 빠르게 읽을 수 있고, 문해력이 좋으며 문장 구조 분석이 가능하기 때문이다. 이미 형성된 모국어, 그리고 탄탄한 모국어로 저장해놓은 방대한 지식과 연결고리들, 다양한 학습 경험들 또한 무기가 될 수 있다. 성인이 모국어를 발달시켜온 과정과 누적된 콘텐츠 양은 새로운 언어를 익힐 때 큰 힘이 된다. 응용과 유추, 확장이 가능하기 때문이다.

**성인 외국어 학습의 효과**

① 문장 구조를 완벽하게 이해하면 자유로운 응용도 가능해진다.

② 하나를 알면 열을 깨우칠 수 있다.

# 초등 고학년의 엄마표 영어, 어떻게 시작할까?

초등 고학년의 경우, 바로 앞에서 설명한 성인의 뇌와 같이 영어를 받아들인다. 영어 영상물을 시청할 때도 영어 귀가 닫혀 있어 영상물 속 영어가 빠르다고 느끼고, 그 영어가 귀에 들어오지 않으니 내용이 이해되지 않는다. 하지만 외국어를 잘하는 사람들의 언어 공부법을 살펴보면, 그들은 읽기 쓰기(written language)보다 듣기 말하기(spoken language)에 더 시간을 많이 할애했다는 사실을 쉽게 발견할 수 있다. 즉 많이 듣고 많이 말해보는 방식, 아이가 (오랜 세월 문맹인 상태에서) 귀와 입으로 모국어를 습득하는 과정과 같다.

## 리더스북 청독, 초등 고학년의 안전한 듣기와 읽기의 시작

문제는 어떤 듣기 재료를 활용해서 듣고 말하는 연습을 하느냐는 것이다. 귀가 닫힌 상태에서는 넷플릭스의 영어 영상물을 백날 본다 한들, 언어 습득면에서는 아무런 효과가 없는 시간 낭비다. 이런 경우라면 오히려 초등 고학년의 강점을 살려주는 것이 좋다. 바로 '문자' 해독력이다. 글을 못 읽는 유치원생은 겁 없이 영어 영상물의 세계에 뛰어들어 '화면의 움직임'과 '상황 전개'로 '영어 소리'의 의미를 어떻게든 찾아내려고 귀를 쫑긋 세우지만 초등 고학년은 '문자'를 보여주면서 천천히 듣는 '청독'으로 시작하는 것이 낫다.

이때 영어 문맹 상태의 아이들의 '읽기를 촉진시킨다'는 특수한 목적을 가지고 만들어진 리더스북을 활용하면 좋다. 가령 [Oxford Reading Tree] 시리즈의 경우, 1단계 책을 보면 한 페이지에 한두 단어가 전부다. 원어민이 낭독해주는 음원을 들으면서, 그림을 보면서 문자를 읽는다면 영어를 한 번도 들어본 적 없는 사람도 바로 해석할 수 있다. 초등 고학년, 첫 영어 공부 시작 재료로 안전하다.

초등 고학년의 또 다른 강점은 영어 공부의 필요성을 납득시키면 그것을 공부의 '동기'로 삼을 수 있다는 것이다. 유치원생 아이에게 백날 "영상물을 왜 영어로 봐야 하느냐면 말이야, 영어 그림책을 왜 날마다 읽어야 하느냐면 말이지," 하고 설명한다 한들 설득하기 어렵다. 아이들은 무조건 '재미'가 있어야 한다. 영어 소리 노출을 꾸준히 해야 하는 것의 '의미'와 '필요'를 납득하기 어려운 나이다. 하지만 초등 고학년은 이미 학교에서 영어 수업을 하고 있고, 영어를 못 하면 초·중·고 학업 성취에 불리하다는 것을 안다. 따라서 이 시기의 아이들은 엄마가 "오늘부터 3개월만 엄마랑 이 [ORT] 청독을 끝내보자. 그다음 어떤 일이 일어나는지 한번 살펴볼까?"라고 제안했을 때, '그래. 나도 이제 정신 좀 차리고 한번 해보자.'라고 마음먹을 수 있다.

아이와 함께 진도표를 짜자. [ORT] 1단계에 속하는 도서는 한 권을 읽는 데 30초도 안 걸리기 때문에 열 권을 쌓아놓고 읽어도 5분이 채 걸리지 않는다. 거듭 이야기했지만 처음부터 아이에게 낭독시키지 말고 원어민이 낭독해주는 소리를, [리딩앤] 같은 ebook이라면 재생 버튼을 눌러가며 앉은 자리에서 같은 책을 두세 번 반복해서 '청독'하게 한다. 그렇게 몇 번 반복해서 청독하면 아이는 '따라 읽기'를 할 수 있게 되고, 어느새 문장을 통째로 외우게 되어 원어민이 낭독해주는 음원을 듣지 않고도 스스로 낭독할 수 있게 된다. 이렇게 청독-따라 읽기-낭독하는 책들이 레벨별로 쌓일 수 있도록 루틴을 만들고 실천표에 체크하면서 아이가 성취감을 맛보게 하다 보면, 3개월 후 일정 권 수 이상의 리더스북 '청독&낭독'을 완료할 수 있다. 이렇게 3개월, 6개월, 1년을 지속적으로 듣고 낭독하고 나면 영어에 대한 아이의 자신감은 무척 높아져 있을 것이다. 단, 낭독 진도를 나갈 때 아이가 힘들어 하면 속도를 늦춰 아이가 만만하게 영어책을 낭독할 수 있도록 쉽고 낮은 단계에 오래 머물러 있어야 한다. 진도가 중요한 것이 아니라 아이가 제대로 '소화'하고 있는가, 아이에게 '할 수 있다'는 자신감을 주고 있는가, 이것이 중요하다. 항상 아이의 반응을 살피는 섬세함이 필요하다.

**매일 루틴**

: 청독하기 - 한 문장 한 문장 따라 읽기 - 혼자 낭독하기

**진도표**

: 아이 수준에 따라 날마다 1권 or 2권 or 5권 or 10권

## 영어 그림책 + 영상물 연계 시청

리더스북을 수십 번 듣고 나서 따라 읽는 방식은 영어가 낯선 초등 고학년이 시작하기에 매우 안정적인 방법이다. 게다가 영어를 날마다 일정한 시간에 반복적으로 듣는 루틴을 만들기에도 좋다. 이러한 루틴이 잡히지 않으면 꾸준하기도 어렵고, 꾸준하지

않으면 언어는 체화될 수 없다. 다만 리더스북의 한계는 접할 수 있는 영어의 양이 매우 적다는 것이다. 양껏 듣고 싶지만 고작해야 한 권에 16문장뿐인 영어 인풋으로 아이가 영어를 알아듣고 읽게 되는 기적은 일어나지 않는다. 이 양적 구멍을 메울 수 있는 유일한 대안은 '영어 영상물'이다. 그러나 처음부터 넷플릭스의 영어 만화를 보여주면 그 속도와 양에 질려 거의 듣지 않을 것이고 아이는 영어에 대한 공포감을 느낄 수 있다. 따라서 어느 정도 아이가 이해할 수 있는 '쉬운 영어 영상' 즉 '내 아이가 듣기에 무리가 없는 영어 영상'을 보여주는 것이 좋다. 그 대표적인 예가 바로 그림책을 원작으로 만든 영어 영상물이다. 유명한 그림책이나 유명한 작가의 캐릭터들을 유튜브에 검색하면 그 그림책에 해당하는 영상물을 쉽게 찾을 수 있다. 'animated books'로만 검색해도 많은 영상물을 찾을 수 있으니 참고하시길. 그중 아이가 읽었던 책이나 아이가 좋아하는 캐릭터가 있다면 그 캐릭터가 등장하는 영상물을 보여줘 영어 영상물에 대한 아이의 거부감 혹은 두려움을 서서히 없애는 것이 중요하다.

## 디즈니 영화, 스크립트로 공부하기

아이가 재미있게 본 디즈니 영화가 있거나 덕질하는 영화가 있다면 그 영화를 공략하는 것도 방법이다. 예를 들어 아이가 《쿵푸 팬더》 마니아라면 처음에는 이 영화를 볼 때 한글 자막을 켜놓고 보면서 전반적인 내용을 파악하고, 스크립트를 구해서 청독하는 것이다. 귀로는 영화 음원을 들으면서 눈으로는 스크립트를 읽는다. 다만 해석이 안 되는 부분이 있을 수 있고, 그런 부분이 너무 많다면 해석하느라 진이 빠진다. 그럴 때는 길벗출판사에서 나온 [스크린 영어 회화] 시리즈 같은 책을 활용하는 것도 좋다. 이 시리즈에는 영화 스크립트와 해석, 주요 단어와 문장 패턴까지 정리되어 있고, 원어민이 천천히 또박또박 읽어준 대사 음원도 있어 혼자 공부하기에 좋다. 여름방학이나 겨울방학에 날을 잡고 영화 스크립트 독파하기를 해보면 한두 달 새 영어가 확 느는 것을 피부로 느낄 수 있다. 특히 듣기 실력이 많이 향상되고, 스크립트를 청독하고 해석하는 데서 그치는 것이 아니라 그 스크립트를 연기하듯 낭독까지 한다면 듣기 실력뿐 아니라 '유창함(스피킹의 기초근육)'까지 기를 수 있다.

### 팝송(뮤지컬 넘버) 가사 외우기 & 덕질 레버리지

공부가 지속적이고 의미 있게 '내 것'이 되려면, 그 '내용'에 애정이 있어야 한다. 좋아하는 팝송이나 뮤지컬 넘버의 가사를 따라 부르고 뜻을 음미하고 외워서 완벽하게 불렀을 때의 기쁨은 누려본 사람만이 안다. 그렇게 팝송 20곡만 외워도 쌓이는 영어가 상당하다. 그리고 그것을 시작으로 유튜브에 올라와 있는 특정 가수의 영어 인터뷰나 대학 강단에서의 연설 영상 등, 연관 콘텐츠를 꼬리에 꼬리를 물고 찾아보고 스크립트를 출력해서 청독해보고 낭독해보는 식의 공부를 추천한다. 한 번 방법을 알려주면 초등 고학년은 알아서 영어로 '덕질'을 할 것이다. 이것이야말로 지속가능한 영어 공부를 위한 씨앗 뿌리기다. 축구를 좋아하고 유럽 프리미어리그를 좋아한다면 그와 관련한 방송이나 잡지를, 마블 시리즈를 좋아한다면 그 분야의 한글책과 원서, 다큐멘터리를 검색해서 함께 보다가 엄마는 슬쩍 빠지면 된다. 아이가 덕질하는 분야가 무엇인지를 잘 관찰했다가 한국어책, 영어 원서, 영어 영상물을 연계해서 제공해주면 좋다.

## 신문기사 스크랩으로 시작해서 영자 신문, CNN 10으로 공부하기

초등 고학년 정도의 아이라면 어른이 보는 신문으로 기사 스크랩을 할 수 있다. 지나치게 정치적이거나 경제적인 이슈 말고 일반적인 사회, 교육, 문화, 건강 분야의 기사는 아이도 충분히 읽고 이해할 수 있다. 나아가 아이에게 "이 기사가 무슨 얘기를 전하고 싶은 거 같아?"라는 질문을 해봄직하다. 신문기사는 책에 비해 짧고 단편적이지만, 책 못지않게 문해력을 길러줄 수 있는 아주 효과적인 읽기 재료다. 초등 고학년이 되고 중학생이 되면 많은 아이들이 서서히 책을 멀리하게 되는데, 그럴 때는 책에 대한 미련을 재빨리 버리고 "신문기사 요약하고 생각 정리해보기"로 갈아타는 것도 방법이다.

하루에 기사 하나 정도를 공책에 오려 붙여 내용을 정리해보자. 다만 처음부터 각 잡고 "자 써봐. 요약해봐." 하지 말고, 기사 하나를 스크랩해놓고 엄마와 아이가 대화해보는 거다. "기사를 기억나는 대로 한번 얘기해보자." 그렇게 워밍업 신문기사 토크를 일주일 정도 해보고, 그다음 주부터는 방금 말로 요약한 내용을 글로 써본다. 반대로 글로 먼저 써보고 말로 정리하는 것도 상관없다. 이렇게 방금 읽은 기사를 말과 글로 요약해보는 연습은 아이의 문해력, 논리력 향상에 도움을 준다. 신문기사를 읽고 듣고 말과 글로 정리하는 이 작업은 단순히 학습적인 효과뿐만 아니라 어른과 함께 세상 이야기를 나눔으로써 아이에게 어른이 되는 뿌듯함, 정서적 기쁨을 주기 때문에 초등 고학년 자녀를 둔 부모에게 강력 추천한다. 신문이나 뉴스 방송을 보고 '하브루타(질문하고 답 요약하기)'하기.

그런데 이 과정에서 '요약하기'는 생각보다 어려운 글쓰기이므로 처음 신문기사 스크랩을 하는 경우 엄마가 질문을 던져도 좋다. 질문을 미리 스크랩 노트에 써두는 거다. 답이 기사 안에 있어서 아이가 큰 어려움 없이 술술 답을 쓸 수 있는 쉬운 질문을 던지는 것이 포인트다. 이런 식의 신문기사 스크랩이 익숙해지면 아이가 스스로 질문을 만들고 답하게 해도 좋다. 초등 고학년의 모국어 실력과 논리사고력을 함께 몇 배로 키우는 것은 영리한 선택이다.

이렇게 한국어 신문을 주중에 읽고 말과 글로 요약하는 것을 3개월, 6개월 지속했다면 서서히 영자 신문을 주 1회 정도 경험하게 해줄 수 있다. 한국어 신문으로 기사의 핵심을 파악하고 글과 말로 정리함으로써 쌓이는 문해력, 논리사고력은 영자 신문을 듣고, 낭독하고, 익히는 데 걸리는 시간과 노력을 단축시킨다. 어린이 영자 신문 서비스는 시중에서 쉽게 검색해서 찾아볼 수 있다. EBS 사이트에서 무료로 다운받을 수도 있고, CNN에서 청소년들을 위해 간략히 뉴스를 전해주는 CNN 10이나, 아리랑 뉴스는 팟캐스트나 앱을 이용해 시청해도 좋다. 좀 더 적극적으로 CNN 홈페이지에서 스크립트를 다운받거나, 유튜브 자막을 추출해서 신문기사를 스크랩하듯이 활용해도 좋다. 영자 신문 서비스를 제공하는 경우 QR 코드가 있어 이를 이용해 유튜브 채널의 기사와 영어 영상을 둘 다 맛볼 수 있기 때문에 아이들의 흥미 유발에도 좋고 영어 습득면에서도 유익하다. 또 전화 영어 서비스까지 패키지로 제공하는 어린이 영자 신문이 많아서 방금 읽었던 영어 기사를 재료삼아 영어로 말해보는 연습도 할 수 있다.

# 4부.

# 엄마표 영어의 어부지리, 엄마의 영어 성장

# 엄마를 발전시키는 엄마표 영어

## 엄마표 영어로 글로벌 기업에 진출하다

내 경험상 엄마표 영어가 놀라웠던 건, 아이의 영어가 모국어처럼 습득된다는 것 말고도 내 영어에 끼친 영향이 매우 크다는 것이었다. 내 영어도 중·고등학교, 대학교까지 10년을 공부한 것이었지만 들리지도 않고 말 한마디 못 하는 죽은 영어였다. 아이에게 엄마표 영어 환경을 만들어줘야겠다고 결심할 당시의 내 영어 상태가 그랬다. 미드, 영드의 영어가 거의 안 들리고 (왜 이렇게 빠른 것인가!) 영어로 말 한마디 못 하는 상태. 그렇게 영어는 평생 안 들릴 것만 같았고 내가 영어권 나라에서 살지 않는 한 영어 입이 트이는 일은 없겠구나 생각했는데, 그 생각이 엄마표 영어를 시작한 지 불과 3년 만에 깨져버렸다. 큰 아이인 1호가 6개월 되기 전에는 영어 동요를 잔잔하게 틀어주고 불러주면서 영어 소리에 익숙해지도록 했고, 6개월 이후부터는 본격적으로 잠자리에서 영어 그림책을 읽어줬다. 주로 운율이 아름답고 짧은 동요 같은 그림책이었지만 아이는 내가 책 읽어주는 소리를 좋아했다.

그렇게 밤마다 영어 그림책을 읽어주다 보니 1년쯤 지났을 무렵에는 원어민보다 더 자연스럽고 생동감 있게 읽어줄 수 있는 '나만의 베스트 낭독 그림책'이 꽤 많이 쌓였고, 그림책 목록만 늘어난 것이 아니라 내 영어 발음과 유창함이 몰라보게 좋아져 있었다. 그렇게 4~5년 (아이 5~10세 시기는 잠자리 책 읽어주기 골든타임) 잠자리에서 영어 그림책을 낭독해주면서 아이에게 영어로 말을 걸기 위해, 엄마표 영어 회화책을 입으로 달달달 외웠고, 아이가 보는 영어 영상물을 같이 보다가 아예 스크립트를 꺼내 들고 본격적으로 공부함으로써 영어 귀가 트이는 신기한 경험도 하게 되었다. 그 결과 생각지도 못하게 미국에 본사를 두고 있는 글로벌 기업으로 이직해서 영어로 프레젠테이션하고 영어로만 소통하는 브랜드마케팅 업무를 하게 되었다.

이 모든 것이 엄마표 영어를 시작한 지 3년째 되던 무렵에 일어난 일이다. 그리고 이것은 젊은 엄마들에게 꼭 전하고 싶은 메시지가 되었다. "여러분은 지금 너무 젊어요. 이 시기에 영어로 듣고 말하는 것은 엄마표 영어 환경을 만들다보면 절로 얻게 되는 보물이니 절대 놓치지 마세요!"라고.

이번 챕터에서는 내가 2004년 미국 회사로 이직하기 전까지, 2001년부터 2004년 4년간 워킹맘으로서 엄마표 영어를 하면서 내 영어 실력을 키운 과정을 소개하려 한다. 기본적인 근간은 ① 잠자리 영어 그림책 읽어주기 ② 영어 영상물을 아이와 같이 '몰입 시청'한 것이고, 전략적으로 접근해서 실천한 몇 가지 영어 공부 팁이 있다.

# 영어 꽝 엄마의 입을 트이게 한 비법

## 엄마를 위한 영어 회화책 고르기

준비물

- 『Hello 베이비, Hi 맘』 등 유아 영어 회화책 1권
- 회화책을 필사할 노트 1권
- 언제 어디서든 들고 다닐 수 있는 녹음기

영어로 한 문장도 제대로 말하지 못했던 내가 1~2년 사이에 영어로 말하는 엄마로 변할 수 있었던 비법은 바로 '유아 영어 회화책'에 있었다. 내가 선택한 영어 회화책은 말했다시피 『Hello

베이비, Hi 맘』이었는데, 이 책을 살 당시는 2000년 초반이라 엄마표 영어 회화책이 많지 않았다. 요즘은 오히려 너무 많아 고르기 어려울 정도인데 책을 선택할 때 몇 가지 고려할 점은 **① 공부할 양이 너무 많지 않을 것** : 공부할 내용이 비현실적으로 많으면 끝내 완독을 못 하는 좌절감을 심어주는데, 개인적으로 그런 책은 선호하지 않는다. **② 아이에게 건네는 말 한마디 한마디가 예쁠 것** : 이건 엄마가 아이에게 말을 거는 회화책이다. 책의 저자가 아동심리나 아동교육 전공자는 아닐지라도 아이의 마음을 다치지 않도록 따뜻하게 말을 걸고 있는지 여부는 회화책 속 문장 몇 개만 살펴봐도 파악할 수 있다. 실제로 아이에게 처음부터 끝까지 명령조의 문장으로 구성된 회화책도 있다. 만일 "~ 하지마, 너 자꾸 그럴래? 왜 이렇게 말을 안 듣지?"와 같은 문장 일색이라면 그 책은 그 자리에서 덮어두시길. 영어 공부하려다 엄마도 아이도 인성이 나빠질 수도 있다. **③ 엄마표 영어를 삶으로 실천한 엄마와 영어가 모국어인 원어민이 공저한 책** : 아무리 회화책이라지만 아이와 영어로 대화하면서 키워본 경험이 없는 사람보다 있는 사람이 쓴 책이 경험에서 우러난 문장들이라 활용도가 높다. 그리고 영어 표현의 정확성을 기하기 위해서, 영어가 모국어인 원어민과 함께 문장 하나하나 꼼꼼하게 상의하며 만들어진 책이면 좋겠다. 그 당시에도 이 모든 조건에 부합하는 책이 바로 『Hello 베이비, Hi 맘』이었다.

이 책에는 엄마와 아이 사이에 있을 만한 상황, 대화가 거의 다 수록되어 있다. 베이비 마사지를 할 때, 이유식을 먹일 때, 기저귀를 갈거나 배변 훈련을 시킬 때, 그림책을 읽어줄 때 등 다양한 상황에서 생기는 대화들이 딱 필요한 만큼, 간결하게 수록되어 있다. 사실 나는 이 책으로 영어 공부를 했다기보다는 엄마 공부를 한 셈이기도 했는데, 육아서 한 권 안 읽어본 나에게 이 책은 나의 첫 육아서이자 대화 지침서였다. 이 책을 통해서 엄마가 말 못 하는 아이에게 일상에서 경험하는 것들을 이렇게 세세하게 조잘조잘 설명해줄 수 있는지, 이 정도로 자세하게 말해줘야 하는지 알 수 있었다. 무엇보다 아이에게 어떻게 사랑을 표현해야 하는지를 배웠다. 이 회화책으로 엄마가 아이에게 건네는 말을 연습했고, 흉내 냈고, 말을 걸어보았다. 덕분에 무뚝뚝하던 내가 어느새 꽤 다정하고 자상한 엄마를 흉내 낼 수 있었으며 그 과정 속에서 내 영어는 몰라보게 유창해졌다.

사실 처음에는 짧은 단문 하나 외워서 써먹는 것도 힘들었다. "Let's wash your hands(손 씻자)." 정도에서 말을 더 잇지 못했는데, 이 책에서 외우고 익힌 문장들이 쌓이면서 내 한국어와 영어가 함께 늘었다.

**Oh, look at your hands! They are dirty.**

**어머, 손 좀 봐! 더러운 걸.**

I think you'd better wash your hands.

**엄마 생각에 손 씻는 게 좋겠어.**

First, let's turn on the water by turning on the tap.

**우선 수도꼭지를 돌려서 물을 틀자.**

There. Now, wash your hands with this soap.

**자. 이제 이 비누로 손을 씻자.**

Oh, this soap is so slippery!

**오, 이 비누 너무 미끄럽다!**

Oops! It slipped out of your hands!

**어머! 비누가 미끄러졌네!**

You can make bubbles with this soap. Watch this.

**이 비누로 거품을 만들 수 있단다. 잘 보렴.**

이렇게 아이와 떠들며 놀고 있는 나를 보며 스스로 놀랐다. 세상에 내가 이렇게 조곤조곤 소근소근 다정하게 아이에게 말을 거는 엄마가 될 수 있다니! 더 놀라운 건 내 영어 실력이었다. 처음에는 짤막한 한두 문장을 겨우 영어로 말하던 수준이었는데, 이제 1분이 넘도록 영어로만 길게 말하고 있다는 것 자체가 감동이었다. 어머, 나도 영어로 말할 수 있잖아?!

## 낭독과 입 영작을 도운 회화책 필사 노트

앞에서 짧게 소개하기도 했는데, 그 당시 아담한 크기의 노트를 한 권 마련해서 (스프링 노트가 좋다.) 노트의 왼쪽 페이지에는 회화책 속 영어 문장의 한국어 번역문을, 오른쪽 페이지에는 영어 문장을 필사했다. 필사하면서 중얼중얼 영작도 해보고 문장도 낭독해봤다. 그렇게 마련한 나만의 노트를 들고 출퇴근하는 지하철 안에서 왼쪽 페이지의 한글 문장을 보면서 입으로는 영작을 했다. 나는 이것을 편의상 '입 영작'이라고 부른다. 매일 출퇴근하는 데 걸리는 평균 세 시간은 꼬박 이 회화 노트를 이용해 입 영작 연습을 해본 셈이다.

필사와 입 영작 외에 심혈을 기울였던 공부 방법은 바로 '낭독 녹음'이었다. 한국어로 문장을 낭독하고, 잠깐 멈추고(나중에 녹음된 소리를 들을 때 잠깐 영작할 시간을 주는 것), 해당 문장을 영어로 낭독하며 다시 녹음했다. 영어 문장을 원어민 음원처럼 매끄럽고 속도감 있게 낭독하기 위해서는 수십 번 수백 번을 반복해서 듣고 따라하고 낭독하는 연습을 해야 했다. 그 녹음 파일을 만드는 과정에서 이미 입에 유창함이 장착되었다.

그렇게 최종 녹음 파일이 완성되면 필사한 노트를 가지고 다닐 필요 없이 지하철 안에서 녹음 파일을 들으면서 입 영작을 할 수 있었다. 처음에는 영작의 60퍼센트 정도 맞지만 반복해서 듣고 영작할수록 정답률은 점차 70퍼센트, 80퍼센트로 늘고, 어느 순간 99퍼센트 완벽하게 입으로 영작하는 시점이 온다. 그 순간의 희열은 말로 표현하기 어렵고, 이쯤 되면 아이와 집에 단둘이 있을 때 영어가 입에서 튀어나오는 경험을 하게 된다.

한 가지 잊지 말아야 할 사실은, 엄마가 열심히 엄마 영어 회화책을 외워서 아이에게 영어로 말을 걸 때 그것을 즐겁게 받아들이느냐 거부하느냐는 전적으로 아이의 선택이며 그 반응을 존중해야 한다는 것이다. 또한 아이에 따라 개인차가 크다. 어떤 아이는 엄마가 영어로 말을 걸면 호기심 가득한 눈으로 엄마를 쳐다보고 씨익 웃으며 그 '영어 놀이'에 몰입하고, 어떤 아이는 엄마 입을 틀어막으면서 "영어로 말하지 마!" 할 수 있다. 아이가 싫어하면 영어로 말 거는 걸 멈춰야 한다. 그건 영어 그림책 읽어주는 잠자리 독서 시간에 쓸 카드로 잠시 접어두기로 하자.

**회화책을 달달 외우고 녹음할 때의 효과**

① 영어 발음이 좋아지고 유창해진다.

② 영어 말문이 터진다.

③ 목소리 톤이 아나운서처럼 바뀐다. (신뢰감 있는 목소리를 뜻밖에 얻을 수 있다!)

④ 우울증 예방에 효과적이다. (낭독 녹음 시간은 오로지 나 자신만을 위한 시간이자 투자였다. 내 영어가 유창해지는 과정을 지켜보는 것이

국가에 한 번도 가본 적이 없다는 내 말에 깜짝 놀란 미국인 사장이 했던 말이다.

## 영어 동요 가사 외우기

영어 동요는 대부분 오랜 세월을 거쳐 구전된 마더구스라 어려운 단어가 더 많다. 평생 듣도 보도 못한, 발음도 어려운 단어들이 한가득이지만 아름답고 사랑스러운 멜로디의 [Wee Sing For Babies] 시리즈 CD에 담긴 오디오 동요는 나도 모르게 무한 반복해서 듣고 외우게 됐다. 게다가 동요 중에는 생활 속에서 틈틈이 활용 가능한 노래도 많았다.

예를 들어 욕실에서 아이를 목욕시킬 때는 “This is the way we wash your face, wash your face, wash your face~”라고 노래를 불러줬는데, “wash your face”에서 씻는 부위만 바꿔서 네버엔딩 송으로 부르는 것이다. “wash your nail~ wash your feet~ wash your belly~ wash your legs~” 이런 식으로. 그럼 아이는 자연스럽게 해당 단어를 반복해서 듣게 되고, 엄마는 영어 문장 말하기 연습을 할 수 있다. 요즘은 멜론이나 유튜브만 검색해도 다양한 영어 동요들이 있고, 유튜브 영어 동요 채널에서는 화면까지 보여주기 때문에 노래를 부르면서 해석도 필요없

이 의미를 파악하기 좋다. (163쪽 참조)

## 의문문 입으로 외우기
## : 영어 말문을 틔워주는 신기한 의문문

준비물

- 『Hello 베이비, Hi 맘』 등 유아 영어 회화책 1권
- 똑같은 문장을 반복해서 외워도 지치지 않는 입

영어로 의문문을 막힘없이 말할 수 있는 사람은 이미 영어 말문이 트인 사람이다. 영어 말문이 트이고 자신감이 생긴 후에 나도 깨달았다. 이 의문문의 신비를. 『Hello 베이비, Hi 맘』은 책 특성상 의문문이 많은데, 엄마가 아이에게 하는 말들이 수록되어 있기 때문이다. 이 책을 보며 다양한 의문문을 연습해보자. 다음은 그 책을 활용해 내가 아이들에게 썼던 문장들이다.

Are you thirsty?

목마르니?

Are you tired?

피곤해?

Do you want to go to the bathroom?

**화장실 가고 싶어?**

Do you want to pee?

**쉬 마려워?**

Are you done?

**끝났니?**

Would you please put your glass in the sink?

**너의 물컵을 싱크대에 넣어줄래?**

Which fruit do you want to have?

**어떤 과일 먹고 싶어?**

위와 같은 의문문을 입에 완전히 익힌 후 다시 말하는 연습을 해보는 것은 영어를 정복하는 가장 쉽고 빠르고 효과적인 방법이다. 한국어는 의문문을 만들 때 '~까?, ~니?' 등의 어미를 붙이고 억양을 높여주면 되지만, 영어는 주어와 동사가 도치되는 식으로 문장 구조가 바뀌므로 의문문이 입에서 자연스럽게 흘러나오려면 입으로 연습하는 시간이 충분히 확보되어야 한다. 가장 복잡한 문형인 의문사 문장이 입에서 자연스럽게 흘러나왔다면 그건 이미 영어 실력이 한 단계 훌쩍 뛰어올랐다는 증거이고 영어 안정권에 들어섰다는 의미로 볼 수 있다. 게다가 영어 회화에 대한 자신감도 생긴 상태다. 자신감이 확보되면 엄마의 영어 실력은 쉽게 쌓인다. 비행기가 힘들게 활주로를 달리다가 막 이륙한 그 순간과도 같다. 이제 영어에 대한 부담을 쭉 내려놓고 하늘을 나는 기쁨을 누리기만 하면 된다.

> **의문문을 반복해서 낭독했을 때의 효과**
>
> ① 영어 말하기, 이제 만만하다.
>
> ② 영어 울렁증, 조기 탈출!

## English Time & Zone 세팅하기 : 영어로만 말해야 하는 장소, 시간

> **준비물**
>
> • 그동안 외운 영어 문장을 떠올릴 수 있는 궁극의 기억력
>
> • 미친 실행력을 갖춘 입

영어 원서를 한글 소설처럼 술술 읽으려면 어떻게 해야 할까? 원서를 많이 읽는 것밖에는 방법이 없다. CNN 뉴스를 우리나라 뉴스처럼 편하게 보려면 어떻게 해야 할까? CNN 뉴스를 계속 청취하면 된다. 영어로 글을 잘 쓰고 싶다면 영어 문장을 많이 써보면 되고, 영어를 원어민처럼 말하고 싶다면 입으로 영어를

많이 말해보면 된다. 언제나 그렇듯 정답은 누구나 다 알지만 이를 실천하는 사람이 거의 없다. 특히 영어로 말하기, 이건 왜 이렇게 안 될까? 내 머리가 그렇게 나쁜가, 혀가 너무 뻣뻣한가 별별 생각이 다 든다. 영어가 이제 좀 익숙해졌다 싶어 자신감은 생겼지만 여전히 생활 속에서 영어로 말하기는 쉽지 않다. 영어가 모국어가 아니고 한국인인 나에게는 낯설고 서툰 언어이기 때문이 아니다. 내 입으로 영어를 말해볼 횟수가 터무니없이 적어서 그렇다. 질리도록 영어를 소리 내어 말해야 한다. 그것이 영어 문장을 낭독하는 것이든 영어로 말을 하는 것이든 말이다. 내가 해본 것 중 영어 말하기 연습으로 효과가 있었던 것은 '특정 장소에서는 영어로만 말하기'였다.

예를 들어 화장실에서 목욕할 때는 영어로만, 보드게임 할 때는 영어로만, 요리할 때는 영어로만, 공놀이할 때는 영어로만 말하기로 스스로 약속하는 것이다. 내 경우에는 아이들에게 영어뿐만 아니라 중국어 환경도 만들어주려는 계획도 있었다. 아이에게 중국어로 말을 걸고 또 간단한 중국어 그림책을 읽어주면서 언어 자극을 주곤 했는데, 늘 영어에 밀려서 중국어 노출 횟수는 현저히 줄어들었고, 중국어로 한 번도 말하지 않고 일주일이 지나가버린 적도 있었다. 이래서는 안 되겠다 싶어서 주중에는 영어로, 주말이나 쉬는 날에는 의식적으로 중국어로 말하고 중국어 책을 읽어주기로 결심했다. 그렇게 결심하니 부족하나마 중국어를 주기적으로 들려주고 읽어줄 수 있었고, 간단한 단어 게임을 중국어로 하면서 아이와 놀 수 있었다. 주말이면 중국어 동요나 내가 좋아하는 중국어 가요를 틀어놓고 거실에서 다같이 한바탕 춤을 추기도 했다. 이렇게 '시간'과 '장소'를 정해놓으니 실천하기가 훨씬 쉬웠다.

갓난아이에게 만들어줄 수 있는 최고의 영어 환경이란, 뱃속에서부터 익숙하게 들어왔던 엄마 목소리로 영어를 들려주는 것이다. 생활 속에서 상황에 맞게, 자연스럽게 튀어나오는 영어를 듣는 것만큼 살아있는 언어 습득은 또 없을 것이다. 0세에서 만 3세 사이의 엄마표 영어 환경 만들기가 그 어느 시기보다 쉽고 실천 가능한 까닭은 바로 여기에 있다. 이 시기에 아이는 엄마가 만들어주는 영어 환경을 무방비로, 스펀지가 물을 흡수하듯이 수동적으로 듣고 습득한다. 엄마만 실천하면 0~만 3세 엄마표 영어는 100퍼센트 성공할 수밖에 없다. 다만 아이가 만 3세가 지나면 자아가 형성되고 모국어가 완성되기 때문에 영어를 심하게 거부할 수도 있으므로 아이가 0~만 3세, 적어도 만 6세가 될 때까지는 조금만 더 신경을 쓰자. 아이가 클수록 엄마표 영어 성공 확률은 낮아지기 때문이다. 물론 영어를 늦게 시작한다고 다 실패하는 것은 아니다. 더 효과적으로 야무지게 익히는 아이도 있지만 그런 경우는 극히 드물고, 대부분 힘은 힘대로 들고 좋은 결과를 맺기는 어렵다.

**영어로만 말하는 '장소'와 '시간' 정하기의 효과**

① 엄마가 영어로 말하기를 꾸준히 실천할 수 있다.

② 아이가 일상 속에서 엄마 목소리를 통해 영어를 자연스럽게 접할 수 있다.

# 영어 꽝 엄마의 귀를 트이게 한 비법

**준비물**

- 영어 그림책, 영어 신문 등 영어로 적힌 모든 것
- 매일매일 봐도 질리지 않는 재미있는 영미권 드라마
- 언제 어디서든 들고 다닐 수 있는 녹음기 (혹은 녹음 기능이 있는 스마트폰)

많은 사람들이 듣기의 힘을 간과하는데 사실 외국어 습득에 있어서 듣기만큼 중요한 것은 없다. 그것이 시작이고 든든한 뿌리다. 우리에게 외국어가 어렵고 힘든 이유는 '들리지 않기 때문'인데, 무슨 말인지 알아들을 수 없는 소리가 지속적으로 흘러나와 지나가버리면 불안하다. 시간과 속도를 컨트롤 할 수 없어서 그렇다. (반면 원서 읽기는 내가 '시선'과 '시간'을 컨트롤 할 수 있기 때문에 덜 불안하다. 잠깐 멈춰 사전을 찾아볼 수도 있다.)

만약 넷플릭스의 다큐멘터리가 거의 다 들린다고 생각해보자. 영어가 더는 낯선 언어가 아니라는 의미다. 다 들리고 무슨 말인지 이해되므로 두려울 것이 없다. 읽기? 말하기? 쓰기? 읽기는 오디오북의 힘을 빌어 청독하면 300페이지짜리 원서도 (내가 좋아하는 주제라면) 날 잡고 시작하면 완독 가능하다. 말하기 쓰기 역시 '들은 양'이 많다면 내재된 영어 문장이 수백 개이니 꺼내 쓰면 된다. 어차피 말하기와 쓰기는 머릿속에 있는, 내가 하는 어휘, 만들 수 있는 문장의 조합을 엮어 할 말을 잇는 것이니 불가능하지 않다.

이번에는 비교적 길지 않은 시간 동안 효율적인 방법을 실천해서 "영어가 다 들려!" 하는 순간을 경험했던 내 사례를 소개하고자 한다. 그때가 20년 전이니 요즘 같은 디지털 시대와 비교했을 때 아날로그적인 공부법이지만 그 방법론적인 핵심은 충분히 지금도 적용 가능하다. 상상력을 조금 발휘해보도록 하자.

내가 대학을 다니던 시절, 대학생들과 취준생들의 영어 공부법은 대부분 원어민과의 프리 토킹 같은 회화 수업이거나, 시트콤 《프렌즈》, 《CNN News》 같은 프로그램 '청취 수업'이었다. 물론 토익이나 토플 수업을 해주는 학원도 있었으나 내 관심사는 듣고 말하는 영어였기 때문에 나는 《프렌즈》나 《CNN News》

청취 수업을 들었다. 그런데 《프렌즈》도 열심히 듣고 《CNN News》를 백날 들어도 귀가 안 뚫리는 이유는 뭘까? 그건 바로, 안 들리는 구간이 너무 많아서 그렇다. 나중에 깨닫게 된 사실인데, 우리 귀는 '어느 정도 들을 만한 영어 소리'에 노출되어야만 '포기'하지 않고 귀를 쫑긋 열고 듣고 체화한다.

## 1단계. 만만한 영화 스크립트 고르기

'어, 이건 좀 들리는데?' 싶은 느낌이었던 영어 영상물은 바로 우리 집 아이들에게 보여줬던 《까이유》 DVD였다. 주인공인 까이유는 만 3~4세의 꼬맹이였고, 까이유에게 말을 거는 엄마, 아빠, 할머니, 할아버지, 유치원 선생님은 모두 천천히 또박또박 영어로 말해줬기 때문에 영어 듣기 왕초보인 나도 어느 정도 따라가며 알아들을 수 있었다. 내용도 유치원에서 있었던 일, 동생이랑 싸운 일, 놀이터에서 생긴 일, 초콜릿 쿠키 만들다 엉망이 된 일, 콩 먹기 싫어서 투정 부린 일 등 일상을 소재로 한 내용이어서 알아듣기 쉬웠다. 자막이 없는 상태에서도 대사의 70퍼센트 정도는 영어로 받아쓸 수 있을 정도로 선명하게 들렸다. '어라, 이거 스크립트를 보면 100퍼센트 다 알아듣겠는데?'라는 자신감이 생겼다. 마침 그 당시 《까이유》 DVD 세트에는 스크립트가 딸려 있었기 때문에 놓쳤던 부분, 잘 안 들렸던 30퍼센트를 스크립트에서 확인해봐야겠다고 생각했다. (이런 '생각'이 든다는 게 얼마나 강력한 배움의 동기인가!)

## 2단계. 듣기 실력 확실히 올려주는 '낭독'의 비밀 : 입 영작 & 낭독 녹음

내가 100퍼센트 확실하게 들을 수 있는 영어 듣기 재료는 내가 직접 낭독 녹음한 영어 소리였다. 원어민의 굴러가는 'r' 발음과 강세도 우리에겐 낯설고 이질적인 소리일 수 있으나 구수한 토종 발음으로 낭독하는 내 영어 소리는 귀에 하나하나 꽂히면서 선명하게 들린다. 앞에서도 말했듯이 듣기 실력을 향상시키려면 '알아들을 만한 소리'를 들어야 한다. 그것이 문장 벽돌 쌓기를 위한 영어 문장이든 영어 교재의 한 지문이든, 영어 신문의 기사든 내가 아이에게 읽어줬던 영어 그림책, 혹은 영어 소설의 한 부분이든 말이다.

그런 점에서 '내가 낭독하고 녹음한 영어 소리'는 최고의 듣기 훈련 재료다. 100퍼센트 이해하는 영어 소리이기 때문이다. 낭독 소리를 녹음하기 전에 단어를 찾아봤고 독해를 해봤고, 수없이 낭독 연습을 하는 중에 단어의 뜻도 찾아보고 문장 해석도 여러

있었다. 대학에 갓 입학한 학생이었는데 교환학생으로 1년 예정으로 미국에 왔다고 했다. 중국인인데 한국어를 너무 잘하길래 한국어를 배운 지 얼마나 됐느냐고 물었더니 그 친구는 이제 6개월 됐다고 했다. 불가사의한 일이었다. 어떻게 6개월 만에 한국어를 이렇게 유창하게 할 수 있지? 이야기를 들어보니 그녀는 자기가 한국 드라마 폐인이라며, 날마다 한국 드라마를 시청하고 있고 보지 않은 드라마가 없다고 했다. 심지어 《런닝맨》《무한도전》 같은 국내 예능 프로그램까지 꿰뚫고 있었다.

일주일에 한 번씩 그 친구는 우리 집에 와서 우리 아이들과 중국어로 놀아줬고, 나는 그녀의 한국어 검정시험을 대비하여 그녀에게 한국어를 가르쳐주었다. 언어 감각이 있고 과제를 빼먹지 않고 해오는 대단한 학구파 대학생인 것을 감안하더라도 그녀의 한국어 습득 능력은 놀라웠다. 그 능력의 비밀은 뭐니뭐니 해도 한국 드라마였다. 미국에 있는 동안에도 그녀의 한국 드라마 사랑은 여전해서 날마다 한국 드라마를 시청했고, 귀국하는 일정에 한국 여행을 넣어서 한국을 마음껏 느끼고 돌아갔다고 들었다.

내가 공부하던 대학에는 한국어 강좌가 있었는데 그 수업에 조교로 한 학기 수업을 보조한 적이 있다. 한국어 강좌를 듣는 미국 학생들 중 유독 눈에 띄게 한국어를 잘하는 학생들이 몇 명 있었는데 대부분 한국 드라마나 K-pop에 빠진 친구들이었다.

그런 친구들은 이미 선생님 손을 떠나 있다. 한국어 사랑이 대단해서 아무리 말려도 한국어 공부에 파고들 학생들이기 때문이다. 이런 친구들은 한국어가 유창해질 때까지 스스로 치열하게 한국어 방송을 시청하고, 외우고, 연습한다. 가르치는 사람의 최종 목표는 바로 여기에 있다. 학생 스스로 내적 동기를 그때그때 꺼내 자발적으로 신이 나서 공부할 수 있도록 하는 것. 한국 드라마, 혹은 일본 애니메이션이나 영미권 드라마에 빠져 있다면 외국어 공부는 게임 끝이다. 외국어 실력이 자동으로 는다.

나는 드라마를 거의 보지 않지만 영어 공부를 목적으로 본 시트콤과 미국 드라마가 딱 두 작품 있는데, 《프렌즈》와 《프리즌 브레이크》였다. 《프렌즈》는 늘 이어폰으로 음원을 들으면서 쉐도잉을 했다. 《프리즌 브레이크》는 아쉽지만 수동적인 듣기로 그쳤다. 사실 미드나 영드 시청의 경우 능동적 영어 학습이라기보다는 수동적인 자극이지만 그럼에도 불구하고 드라마 시청이 가치 있는 까닭은 영어에 대한 감을 유지할 수 있고, '영어를 다 알아듣고 싶다.'라는 동기를 얻을 수 있기 때문이다.

자막을 없애고 보는 것이 좋은지 아닌지에 대한 의견이 분분하지만 나는 자막이 오히려 도움이 된다고 생각한다. 처음 미드나 영드, 혹은 영화를 볼 때는 이해할 수 있는 말이 반도 안 되는데 이 경우 자막은 친절한 안내자 역할을 해준다. 시간이 지날수록 영어가 90퍼센트 이상, 아니 100퍼센트에 가깝게 들리는 시점이 오면 자막은 오히려 '한국어-영어 매칭 연습'을 가능하게 해서 능동적인 시청도 가능하게 해준다.

요즘은 다양한 OTT 서비스를 활용할 수 있으므로 마음만 먹으면 관심 있는 분야의 프로그램을 마음껏 영어로 시청할 수 있다. 당신이 만약 미니멀리즘에 대해 관심이 많다면 '곤도 마리에'의 다큐멘터리 《설레지 않으면 버려라》를 반복해서 보는 식이다. 내가 관심 있는 분야이기 때문에 정보나 노하우도 얻고 영어 공부까지 되니 일석이조다. 유명한 한국어 드라마의 경우 영어 자막 서비스를 제공하는데, 한국 드라마를 볼 때 영어 자막을 켜놓고 보면 생각보다 유용한 표현들을 많이 얻을 수 있다. 무엇보다 "아, 이 한국어를 영어로는 저렇게 말하는구나!" 하는 경험을 시작으로 "그럼 이 말은 영어로 뭐라고 할까?" 하는 사고의 전환이 일어날 수 있다. 이는 영어 습득에 있어 매우 고무적인 변화다.

## 4단계. 영어로 덕질하기 : 팟캐스트, 유튜브, 넷플릭스

미국 드라마에 관심이 없고 일부러 동영상을 찾아보는 것도 귀찮다면? 이런 엄마들에게 추천하고 싶은 디지털 미디어는 스마트폰 하나만 있으면 다 들을 수 있는 '팟캐스트'다. 팟캐스트에는 예술, 경제, 교육, 정부, 건강, 어린이, 음악, 뉴스, 과학, 의학, 사회문화, 스포츠, 테크놀로지, 영화, 게임, 취미 등 다양한 분야의 방송이 있다.

나는 2007년 즈음부터 팟캐스트를 듣기 시작했는데, 그때는 영어 듣기 실력이 그리 좋지 않아서 골라 들을 수 있는 형편이 안 됐다. 내가 처음 듣기 시작했던 것은 《오프라 윈프리 쇼》로, 우리나라로 치면 《아침마당》과 같은, 주부들을 위한 프로그램이라 부족한 듣기 실력으로도 대충 이해가 됐다. 살림, 특히 청소하기가 너무 싫어서 집을 쓰레기장으로 만든 어떤 주부를 돕는 이야기부터 할리우드 여배우들의 패션을 담당하는 디자이너, 체중 감량에 성공한 사람, 화장과 헤어스타일만으로 완벽한 변신을 보여준 사람의 이야기까지 영어 실력이 부족해도 부담 없이 듣고 이해할 수 있었다.

그렇게 날마다 《오프라 윈프리 쇼》를 팟캐스트로 듣다가 자신이 읽은 책을 소개하고 이야기를 나누는 <북 클럽>이라는 코너를 듣게 됐는데 딱 내가 좋아하는 분야였다. 방송을 듣다가 그 책에 관심이 생기면 원서를 사서 읽기도 하고, 저자가 직접 운영하는 팟캐스트를 구독해서 듣기도 했다. 때마침 성경 공부를 하고 있었기 때문에 미국의 유명 목사님들의 성경강해 팟캐스트도 듣기 시작했는데, 이때 영어 듣기 능력이 엄청나게 늘었다. 그 이후로는 TED 강연을 닥치는 대로 들었다. 다양한 분야, 방대한 내용이 있어 내 기호와 영어 실력에 맞는 방송을 골라 들을 수 있어 좋았다. 게다가 TED 강연은 유튜브에 한글 자막도 많이 올라와 있어서 영어가 잘 안 들리면 한글 자막을 켜놓고 볼 수 있었다.

요즘 즐겨 듣는 방송은 NPR 방송에서 하는 《TED Radio Hour》라는 프로그램이다. 수많은 TED 강연 중 엑기스만 골라 한 시간 정도 분석하고 소개해주는 라디오 프로그램이라 무척 유용하다. NPR 뉴스도 영어 공부에 큰 도움이 되었다. 또 미국의 하버드나 예일 등 유명한 대학은 온라인 강의를 무료로 제공하는데, 내가 관심을 갖고 있는 심리학이나 교육학에 대한 강의를 들으면서 간만에 학창 시절로 되돌아간 듯한 설렘을 맛보기도 했다.

팟캐스트는 영어 듣기의 중요한 열쇠다. 영어 귀가 뚫리려면, 혹은 뚫린 귀를 유지하려면 날마다 들어야 하는데 그러기 위해서는 '접근성'이 좋아야 한다. 바쁜 현대인은 컴퓨터를 켜고 인터넷 검색창에 주소를 입력해서 방송을 들을 시간이 없다. 그에 반해 팟캐스트는 내 손안의 방송국이다. 스마트폰만 손에 쥐고 있으면 이동하는 차 안에서, 지하철 안에서 바로 켜서 들을 수 있다. 내가 마음만 먹으면, 그러니까 '아침에 설거지하고 청소기 돌리는 30분 동안, 지하철 타고 출근하는 동안 팟캐스트 방송 하나씩 들어야지.' 이런 식으로 간단히 결심만 하면 반드시 지킬 수 있다. 평일 5일만 실천하기. 이것을 딱 '세 번'만 반복하면 습관이 된다. 영어 듣기를 습관으로 만들어보자.

**영어 말하기 훈련 방법**

① 문장 벽돌 쌓기 : 문장 낭독 – 녹음 – 쉐도잉

② 영어 신문, 연설문, 통째로 외우기

③ 뉴스, 팟캐스트, 쉐도잉

**영어 듣기 훈련 방법**

① 영어 신문, 영어 독해집 지문 낭독 : 녹음한 소리 듣기

② 영어 영상물 무한 시청

③ 팟캐스트 무한 청취

**엄마표 리스닝 훈련의 효과**

① "영어 잘하시네요?" 소리를 듣기 시작했다.

② 영미권 방송을 자유롭게 들을 수 있어 즐길 거리가 늘어난다.

이 책에서 지금까지 제시한 방법들을 이미 수백 명의 사람들이 모여 함께 실행으로 옮기고 있다. 자세한 내용은 '새벽달책방'에서 확인해 보시길 바란다.